Pékin

D0324733

Berlitz Publishing Company, Inc.
Princeton   Mexico City   Dublin   Eschborn   Singapour

Texte:	texte original par JD Brown
Photographie:	Nicholas Sumner, pages 4, 9, 10, 12, 18, 23, 27, 30, 31, 41, 45, 53, 64, 80, 83, 85; JD Brown, pages 3, 5, 6, 17, 20, 24, 28, 32, 36, 37, 39, 49, 50, 51, 55, 58, 62, 67, 71, 75, 76, 79, 90, 96; Office national du tourisme de Chine, pages 68, 93
Photo de couverture:	Nicholas Sumner
Photo montage:	Naomi Zinn
Traduction:	Media Content Marketing, Inc.
Maquette:	Media Content Marketing, Inc.
Cartographie:	XNR Productions

Bien que l'éditeur soit soucieux d'assurer l'exactitude des informations présentées dans ce guide, des changements sont inévitables et peuvent engendrer des erreurs. L'éditeur décline toute responsabilité en cas de dommages ou de désagréments qui pourraient en résulter. N'hésitez pas à nous faire part de vos suggestions en écrivant à Berlitz Publishing Company, au 400 Alexander Park, Princeton, NJ 08540-6306.

ISBN 2-8315-7247-9
Révisé en 1999 – 1re impression janvier 2000

Imprimé en Italie
010/001 NEW

SOMMAIRE

- Un  dans la marge indique un site ou monument que nous vous recommandons tout particulièrement

Pékin

PÉKIN ET SES HABITANTS

En qualité de capitale nationale depuis 600 ans, Pékin est le centre de gravité de la culture chinoise. Ses trésors impériaux sont inégalés et Pékin reste aujourd'hui la ville la plus visitée de Chine. La Cité interdite, résidence des empereurs de 1420 à 1924, est restée intacte et les pans les mieux préservés de la Grande Muraille ferment encore le nord de Pékin. Siège de l'histoire et de l'art chinois, Pékin les a jalousement préservés au cours des successions dynastiques et des révolutions. Aujourd'hui, capitale de la nouvelle Chine, Pékin expose tous ses trésors aux yeux du monde comme s'il s'agissait des dernières reliques d'un monde disparu.

Lorsque l'on traverse les larges cours des palais et des villas de Pékin, on a l'impression d'entendre battre le cœur de l'Empire du Milieu. Lorsque l'on pénètre au sein des pavillons parfumés aux toits de tuiles vernissées, on devine encore l'ombre de l'empereur siégeant sur son trône en forme de dragon. Pendant cinq siècles, les plus puissantes dynasties chinoises y vécurent, notamment les Ming et les Mandchous. Le dernier empereur de Chine, accompagné de ses eunuques et de ses concubines, fut contraint d'abandonner la Cité interdite au début du XXe siècle et sa dynastie fut détruite. Mais la muraille impériale a survécu, ainsi que les palais de la «Ville intérieure». L'architecture impériale de Pékin présente une occasion unique de voir la Chine de nos rêves.

Les anciens parcs de la capitale chinoise ont également survécu et le Temple du Ciel, où les empereurs célébraient les rites annuels pour la prospérité de la terre, se dresse toujours au sud de la voie axiale. Remplaçant les processions impériales qui partaient de la Cité interdite, seuls les touristes empruntent aujourd'hui cette voie qui demeure l'axe principal de l'ancienne capitale.

Construit sur la rive d'un des lacs qui s'étendent au nord-ouest de la Cité interdite, le Palais d'été de la célèbre impératrice CiXi n'en finit pas d'émerveiller les touristes qui le visitent. Aujourd'hui, les rives autrefois interdites des lacs ainsi que le parc du lac Behai sont ouverts au public. Parsemés de temples, de pagodes, d'autels impériaux, de jardins classiques et de vieilles demeures, les lacs et les parcs du vieux Pékin constituent une introduction romantique à l'histoire de la Chine. Ils révèlent ainsi le faste d'une civilisation profondément différente de la Chine actuelle et de tout ce qui a existé en Occident.

Si ces monuments exotiques comptent parmi les sites les plus attrayants de la ville, ils ne constituent qu'un aspect de Pékin. La ville moderne exerce sa propre fascination et n'en est pas moins éminemment chinoise. Pékin est célèbre pour ses maisons sur cour, construites le long de ruelles étroites (*hutong*), qui ont peu changées depuis la dynastie Qing. Dans les quartiers de *hutong,* notamment le long des artères commerçantes, l'Orient et l'Occident se livrent une bataille sans merci. Les diseurs de bonne aventure sont encore postés à la sortie des boutiques européennes à la mode et les vendeurs itinérants n'hésitent pas à proposer des patates douces rôties à la porte du tout nouveau MacDonald de la ville.

Ici, vous pourrez assister à un spectacle d'opéra chinois, une tradition séculaire, ou vous asseoir devant un authentique festin de canard pékinois. Vous y trouverez les plus grands centres commerciaux modernes, le métro et la nouvelle cuisine française. Vous pourrez également assister à un match de basket-ball, retransmis en direct des Etats-Unis dans un bar à l'américaine.

C'est pourtant l'aspect moderne de la capitale qui surprend les visiteurs. La plus grande ville de Chine est plate, étendue, et assez quelconque. Le paysage urbain est dominé par des rangées monotones de blocs de béton nu, élevés sur le modèle de l'architecture soviétique, qui témoignent ainsi de la première phase de modernisation.

Les constructions plus récentes empruntent le style de l'école de verre et d'acier que l'on retrouve dans les gratte-ciel de toutes les capitales modernes. Ainsi, au premier abord, Pékin ne se distingue pas d'une quelconque capitale de pays en développement, où se mêlent les tours des hôtels ultramodernes, les immeubles d'habitations vieillissants et les zones de constructions massives, encerclées d'autoroutes modernes encombrées de véhicules importés du Japon. Ajoutez à cette mixture urbaine une pollution atmosphérique un peu trop visible et Pékin perd quelque peu de son exotisme.

Image de la ville: une petite coupe de cheveux rapide sur le bord du trottoir.

Une partie de cette dégradation du paysage urbain provient du boom économique qui, en l'espace d'une génération, propulsa Pékin du statut de capitale pauvre et préindustrielle à celui de métropole mondiale, siège administratif de la deuxième puissance économique du monde. Réunissant, dans les années 1990, la volonté et les moyens financiers de se moderniser, Pékin fit tomber les obstacles restants et s'élança sur les traces qu'empruntèrent Tokyo, Taipei, Hong Kong et les autres capitales asiatiques à la fin de la Deuxième Guerre mondiale. Toutefois, Pékin reste unique en ce que la ville a conservé une part importante de ses quartiers préindustriels, ses anciens parcs et ses monuments

Un aperçu du vieux Pékin dans l'historique Dazhalan.

impériaux. Le vieux Pékin n'a pas été démoli pour faire place aux bâtiments modernes...du moins, pas encore.

Si les habitants sont très fiers de la vieille ville, ils ne sont pas aussi nostalgiques des splendeurs passées que les visiteurs. Ils sont en faveur du progrès, d'une modernisation rapide et d'un passage, coûte que coûte, au capitalisme dont les acquis instables semblent toutefois venir à bout de plusieurs siècles de pauvreté. Les vieilles maisons sur cour, qui bordent les ruelles tortueuses, sont sans doute pittoresques et représentatives de la tradition pékinoise, mais les nouveaux immeubles promettent des habitations plus grandes, un système moderne de plomberie et de chauffage, tout le confort qui, par le passé, était réservé aux empereurs. Les habitants de Pékin se distinguent par leur esprit pratique: ils sont chaleureux et suffisamment francs pour dire que le confort matériel de leur famille passe avant les anciennes soieries impériales, un sanctuaire bouddhiste en déclin, voire la qualité de l'air.

La région métropolitaine de Pékin compte aujourd'hui plus de 11 millions d'habitants, dont 7 millions dans l'enceinte même de la ville. Pékin est ainsi la 12e ville du monde. Les rues sont, dans l'ensemble, bondées, l'espace habitable n'a pas augmenté depuis des années, la crise du logement est sévère et le revenu par habitant s'élève US$1200 par an. Le salaire minimum dépasse à peine un dollar par jour et les mendiants se rassemblent autour des temples et des sites touristiques. La vaste population flottante de Pékin, qui se constitue principalement de ceux qui viennent illégalement des campagnes, erre dans les rues à la recherche d'un travail comme employés de maison ou manœuvres dans la construction.

Malgré ces conditions difficiles, l'ensemble du pays estime que les habitants de Pékin sont bien plus prospères que ceux qui vivent dans les fermes ou dans les villes de l'intérieur. Une classe moyenne, constituée de lettrés et de ceux qui réussissent dans la libre entreprise, commence d'ailleurs à émerger. Si les pauvres se comptent par millions, on compte également des fortunes qui se font en 24 heures. Les habitants de Pékin sont, dans l'ensemble, plutôt optimistes:

> **De toutes les capitales mondiales, Pékin compte certainement le plus grand nombre de bicyclettes. Il y a aussi beaucoup de taxis (plus de 70 000), dont le prix de la course est majoré de 20% la nuit.**

ils se réjouissent d'être plus riches que par le passé et sont confiants dans l'avenir. Pékin est, aujourd'hui, une ville énergique qui ne doute pas de son succès futur.

C'est également l'une des rares villes chinoises qui fut en contact constant avec le monde extérieur. C'est d'abord ici que s'installèrent les légations étrangères. Au cours des dernières décennies, Pékin a vu arriver bien plus de diplomates, universitaires, experts, artistes, hommes d'affaires et touristes qu'aucune autre ville du pays. Aujourd'hui, plus de 100 000 résidents sont nés à l'étranger, employés pour la plupart par des sociétés ou des agences étrangères. Pékin abrite également les plus grandes universités chinoises, la plupart des administrations et les bureaux des sociétés étrangères. Bref, Pékin est une ville internationale ou en passe de l'être.

Il se dégage pourtant de Pékin une sensation d'exotisme car, en dépit de son apparente modernité, de sa politique internationale, de son dévouement aux pratiques commerciales occidentales et de son engouement pour les films étrangers, les fast-foods, les nouvelles voitures et les micro-ordinateurs, Pékin demeure une ville essentiellement chinoise.

Pékin possède sa langue et sa cuisine, qui contribuent à en faire une ville unique. Les voyageurs qui se limitent aux hôtels, aux excursions en autocar, aux guides et aux principaux magasins et restaurants, ne seront pas gênés par la langue, mais partout ailleurs, les sons et les panneaux sont en chinois. On parle ici un dialecte local qui, curieusement, n'est pas très différent du *putonghua* (mandarin), le dialecte officiel. C'est, bien sûr, les dirigeants de Pékin qui décidèrent, parmi tous les dialectes chinois, de faire du mandarin le dialecte officiel.

Si la cuisine chinoise est sans doute plus familière aux étrangers que la langue, celle de Pékin, plus proche de la cui-

Un grand plaisir: prendre le temps de jouer une partie d'échecs dans le parc Tiantan à Pékin.

sine du nord de la Chine, est assez différente de la version édulcorée que l'on trouve dans les restaurants chinois d'Europe et d'Amérique du Nord. On mange généralement à l'aide de baguettes, mais il est de plus en plus facile de trouver des couverts occidentaux. Si la cuisine et la langue marquent la distance qui nous sépare, ces éléments constituent des attraits plutôt que des obstacles. Ils font partie des coutumes que les contacts renouvelés avec l'Occident et la modernisation n'altèrent en rien.

Nombre de sites historiques, de parcs paysagers, de vieux quartiers et d'anciens temples sont éparpillés dans la ville moderne. Il est nécessaire de se déplacer en bus, en taxi, en métro, voire en bicyclette, pour se rendre d'un site à l'autre. Traverser la ville n'est pas toujours une mince affaire, car il y a bien plus de véhicules modernes que de routes pour les accueillir, ce qui crée de sérieux embouteillages. Le centre de la ville se constitue, comme

> **Voitures, camions et vélos ont la priorité absolue dans les rues de Pékin, même lorsque les feux de signalisation semblent indiquer le contraire. Suivez les piétons locaux.**

autrefois, de la Cité interdite, de l'autre côté de l'avenue Chang'an, face à la place Tian'anmen, la plus grande place publique du monde. Le Temple du Ciel se trouve au sud, le Palais d'été à l'ouest et la Grande Muraille au nord. La ville a conservé son tracé en damier, conçu par les empereurs Ming.

Si Pékin abrite l'ensemble des trésors impériaux de la Chine, aucune ville du pays ne se modernise plus rapidement, sans se préoccuper de préserver les vestiges de ses splendeurs passées. La ville s'est engagée dans une reconstruction massive, afin d'aborder le XXIe siècle avec un nouveau visage ne portant aucune trace de l'empire et des maisons de thé. Pékin permet ainsi de découvrir deux facettes de la Chine, son passé gracieux et son avenir frénétique, tout en restant une ville de rêve.

UN PEU D'HISTOIRE

Pékin a souvent occupé une place prépondérante dans l'histoire chinoise, dans l'ascension et le déclin des dynasties impériales, dans les triomphes et les tragédies récentes de la place Tian'anmen. Chacune de ces époques importantes a laissé ses empreintes sur la ville, et la capitale est un musée vivant de la plus vieille civilisation du monde.

L'Homme de Pékin (le Sinanthrope)

Le crâne et les ossements du plus ancien habitant de la Chine, l'Homme de Pékin, ont été découverts à 50 km au sud-ouest de la ville en 1929. Ces fossiles, retrouvés sur le site de Zhoukoudian, remontent à 500 000 ou 690 000 ans et forment une contribution importante à la paléontologie moderne puisqu'ils attestent de la présence de l'*Homo erectus* en Asie comme en Afrique. Les grottes et le Musée de l'Homme de Pékin à Zhoukoudian restent un important site touristique, bien que la plupart des fossiles se trouvent aujourd'hui dans des collections hors de Chine.

Il n'y avait aucune preuve d'un peuplement préhistorique de Pékin même, jusqu'à la découverte accidentelle, en 1996, d'un village datant du paléolithique supérieur à moins d'1 km de la Cité interdite et de Tian'anmen. Les outils en pierre et les ossements humains découverts sur ce site, situé sous le nouveau centre commercial et administratif de la place Orientale, sont aujourd'hui exposés dans une galerie du sous-sol. Ils permettent donc de dater la première colonie humaine connue de Pékin à 20 000 av. J.-C.

Capitale des Khans

Une ville était déjà installée sur le site de Pékin dès l'époque de la dynastie des Zhou (Theou) occidentaux (1100–771 av. J.-C.), mais la ville ne commença réellement à se développer qu'à par-

Repères historiques

500 000 av. J.-C. Des hommes vivent dans des grottes au sud-ouest de Pékin.

20 000 av. J.-C. Un village du paléolithique supérieur s'établit près du site de la place Tian'anmen.

Après J.-C. 916–1125 La dynastie Liao installe sa capitale du nord sur le site de la ville.

1275 Marco Polo visite la capitale de Koubilay Khan, Khanbaliq (Pékin).

1402–1420 La dynastie Ming construit les grands palais de la Cité interdite.

1644 Les Mandchous entrent dans Pékin, ce qui marque le début de la dynastie Qing.

1860 Les forces européennes envahissent Pékin.

1903 Le Palais d'été est reconstruit par l'impératrice Cixi.

1911 Chute de la dynastie Qing: la République de Chine est instaurée.

1919 Les étudiants, regroupés place Tian'anmen, protestent contre les traités étrangers.

1928 Tchang Kaï-Chek fait de Pékin la capitale de la Chine.

1937–1945 Pékin est occupé par les Japonais.

1949 Pékin devient la capitale de la République populaire de Chine, dirigée par Mao Zedong.

1966 Début de la Révolution culturelle.

1972 Le président américain Nixon visite Pékin et établit des relations diplomatiques.

1976 Mort de Mao.

1989 Les manifestants en faveur de la démocratie sont expulsés de la place Tian'anmen.

1996 Funérailles du successeur de Mao, le réformateur économique Deng Xiaoping.

1999 50e anniversaire de la République populaire de Chine sur la place Tian'anmen.

tir de la fin de la dynastie Tang (après J.-C. 618–907). Les Khitan, venant du nord, envahirent la ville et y établirent leur seconde capitale, à partir de laquelle ils contrôlaient la majeure partie du nord de la Chine. Cette période, connue sous le nom de dynastie Liao (après J.-C. 916–1125), n'a laissé que très peu de traces dans l'actuel Pékin. La capitale Liao, connue sous le nom de Yanjing, occupait alors le sud-ouest de l'actuel Pékin. Le temple Fayuan est le seul monument qui a survécu.

Des invasions ultérieures boutèrent les Khitan hors de la ville et ces nomades établirent la capitale de la dynastie Jin (1115–1234) aux abords de Pékin (qu'ils nommèrent Zhongdu, «capitale du centre»). La capitale Jin fut ensuite complètement détruite par une invasion de nomades venant du Nord: les Mongols dirigés par Genghis Khan laissèrent des empreintes plus visibles et plus profondes sur la ville et dans toute la Chine.

Genghis Khan commença le travail d'unification du pays qui permit à son célèbre petit-fils, Koubilay Khan, d'instaurer la dynastie Yuan (1279–1368). En 1279, Koubilay Khan érigea sa propre capitale sur la rive du lac Beihai, à Pékin, où l'on peut encore admirer quelques-uns de ses trésors impériaux. C'est sur cette même rive que Marco Polo serait arrivé au XIIe siècle, lorsqu'il obtint le soutien de Koubilay Khan. Il s'installa à Pékin, alors connu sous le nom de Khanbaliq (la ville du Khan) ou Dadu (grande capitale), qui servit de base à ses expéditions en Chine, en qualité d'émissaire du Khan. C'est de cette capitale du XIIIe siècle que Marco Polo écrivit: «l'intérieur de la ville est conçu sur un plan en damier si rigoureux qu'aucune description ne saurait lui rendre justice». Ce plan est resté celui de l'actuel Pékin.

L'époque Ming

Les Mongols de la dynastie Yuan furent finalement renversés par des rebelles chinois locaux, qui établirent la plus renommée des dynasties impériales: la dynastie Ming (1368–1644). La capitale fut à nouveau rasée et reconstruite. L'empereur Ming Yongle lui donna alors le nom de Pékin (capitale du Nord) qui lui resta. Dès 1420, la construction du site le plus réputé de la ville, la Cité interdite, était terminée. Dès le début du XVe siècle, il fit bâtir également la Tour de l'Horloge, la Tour du Tambour et surtout, l'élégant Temple du Ciel. La plupart des temples importants de Pékin datent de l'époque de la dynastie Ming.

Les dirigeants Ming accueillirent avec méfiance à Pékin quelques missionnaires catholiques venus d'Europe. Au XVIIe siècle, les jésuites, dirigés par Matteo Ricci, s'arrogèrent une profonde influence, non sur la religion chinoise (ils ne firent que très peu de convertis parmi les habitants de Pékin) mais sur les sciences, les mathématiques, l'astronomie, l'art, la médecine, ainsi que d'autres aspects de la connaissance qui n'avaient jamais reçu d'influence occidentale. Le plus grand projet de la dynastie Ming fut sans doute la restauration et l'extension de la Grande Muraille au nord de Pékin. Pour la première fois, on utilisa de la brique pour les finitions de ces magnifiques fortifications. C'est la Grande Muraille de la dynastie Ming que l'on peut voir aujourd'hui à Pékin.

Ming monumentaux: la Tour du Tambour rappelle l'impressionnante dynastie Ming.

Le Ruisseau d'Or fait des détours dans la glorieuse Cité interdite.

La période Qing

Les Ming s'inquiétaient à juste titre de la possibilité d'une invasion par le Nord, ce pourquoi ils prirent la décision d'étendre la Grande Muraille. Leur chute vint effectivement de ce qu'ils craignaient le plus: une invasion du nord. Cette fois, les envahisseurs étaient des Mandchous qui établirent une dynastie qui s'avéra aussi longue et aussi glorieuse que celle des Ming.

Les Mandchous de la dynastie Qing (1644–1911) furent assez malins pour se plier aux usages chinois. Ils gardèrent Pékin comme capitale, mais à l'inverse des dynasties précédentes ne rasèrent pas la ville. Au contraire, il s'appliquèrent à préserver et à restaurer le passé chinois. La Cité interdite, le Temple du Ciel et le lac Beihai restèrent des places fortes de l'empire. Les anciens temples furent rénovés et les quartiers de *hutong* avec leurs maisons sur cour furent développés.

Deux des plus grands empereurs Qing, Kangxi et son petit-fils Qianlong, veillèrent à l'entretien des tombeaux Ming et à la construction du Palais d'été, tandis que le dernier grand dirigeant impérial chinois, l'impératrice Cixi, permit au Palais d'été et à la Cité interdite d'entrer intacts dans le XXe siècle. La plupart des sites historiques de Pékin furent ainsi construits ou restaurés par les empereurs Qing, de même que leurs tombeaux qui rivalisent de splendeur avec ceux des Ming.

La dynastie Qing s'est également distinguée par l'élaboration des traditions artistiques héritées des Ming. La forme d'opéra, connue sous le nom d'opéra de Pékin et qui se donne encore aujourd'hui, fut finalisée sous les Qing, bien que son origine (et ses costumes) remonte à l'époque Ming, voire plus tôt. Les Ming sont également célébrés pour leurs magnifiques dessins à l'encre, leurs émaux, leur mobilier, leurs laques et surtout les porcelaines des écoles «cinq couleurs» et «bleu et blanc». A la fin de la période Ming, ces porcelaines aux motifs de paysages et de jardins paysagers devinrent très prisées en Europe, où l'on commença à produire des imitations de «porcelaines chinoises». Les Qing prolongèrent ces développements artistiques tout en compliquant l'ornementation et en ajoutant de nouvelles couleurs, souvent voyantes et clinquantes.

Cette concentration sur des formes artistiques très élaborées se combinant à la demande croissante de luxe accéléra le déclin de la dynastie. Au XIXe siècle, les dirigeants Qing furent confrontés à de nouveaux envahisseurs, venant cette fois non du Nord mais de l'Ouest, auxquels ils ne purent faire face.

Dès la première «guerre de l'opium» (1839–1842), les nations occidentales firent pression sur la Chine pour que celle-ci ouvre ses portes au commerce. En 1860, lors de la seconde «guerre de l'opium», les troupes britanniques et françaises occupèrent Pékin et forcèrent la signature d'un traité. Les déléga-

La Cité interdite a été fermée au public pendant 500 ans,
mais à présent tous ses trésors s'offrent à votre regard.

tions étrangères, les entreprises et les missionnaires arrivèrent
en nombre dans la capitale et s'installèrent dans le quartier des
légations, situé au sud-est de la Cité interdite.

En 1900, le quartier des légations fut attaqué par les Boxers,
un groupe de nationalistes radicaux qui recevait un soutien tacite
de la cour des Qing. En représailles de cette vaine tentative d'ex-
pulsion, les forces militaires représentant les huit nations en
résidence à Pékin lancèrent une expédition punitive qui détruisit
la bibliothèque et incendia le Palais d'été. Le quartier des légations obtint par la suite un contrôle total sur ses propres affaires,
devenant ainsi une ville étrangère à l'intérieur de Pékin. Nombre
d'immeubles de style européen, ambassades, bureaux, banques,
hôtels et villas, ont survécu, même si la révolution de 1949 leur
a attribué d'autres fonctions.

Les républicains et les seigneurs de la guerre

L'histoire impériale de la Chine est bien plus ancienne que le
règne de Pékin en tant que capitale, mais c'est à Pékin que la
dernière dynastie chinoise devait succomber. Le gouvernement

des Qing fut renversé en 1911 et la République de Chine fut instituée par Sun Yat-sen. Elle fut suivie par une période de guerres régionales et de luttes de pouvoir menées par les seigneurs lo-

Les grands noms de Pékin

Marco Polo *(1254–1324).* Auteur et marchand italien, Marco Polo emprunta la route de la soie jusqu'en Chine et retour (1271–1298). Il se prétendit l'émissaire de Koubilay Khan et écrivit le premier récit populaire sur la Chine qui parut en Occident. Ce récit est toutefois mis en doute par de nombreux chercheurs.

Matteo Ricci *(1552–1610).* Le plus célèbre missionnaire jésuite en Chine, Ricci vécut à Pékin de 1601 jusqu'à sa mort. Il occupa des fonctions de mathématicien et d'astronome à la cour impériale.

Kangxi *(1654–1722).* Deuxième empereur de la dynastie Qing, Kangxi rénova de nombreux temples importants et sites impériaux de Pékin, il construisit l'ancien Palais d'été et fit bâtir une villégiature impériale à Chengde. Ces grands travaux furent poursuivis par son petit-fils, l'empereur Qianlong. Ils régnèrent chacun pendant une soixantaine d'années.

L'impératrice Cixi *(1835–1908).* Ancienne concubine et réelle détentrice du pouvoir impérial au crépuscule de la dynastie Qing, l'impératrice Cixi est célèbre pour son extravagance et la reconstruction du Palais d'été.

Mao Zedong *(1893–1976).* L'un des fondateurs du parti communiste chinois (1921), chef suprême de la république populaire dès sa naissance, le «grand timonier» est à la fois vénéré et honni pour son œuvre. Son corps repose place Tian'anmen.

Deng Xiaoping *(1904–1997).* Successeur de Mao, Deng lança les réformes économiques qui transformèrent la Chine. C'est également lui qui donna l'ordre de briser le mouvement pour la démocratie qui s'était emparé de la place Tian'anmen en 1989. Les réformes entreprises par Deng continuent sous la houlette de Zhang Zemin.

caux. Les étudiants se rassemblèrent sur la place Tian'anmen en 1919 pour protester contre les «traités inégaux» de la Première Guerre mondiale, qui favorisaient le Japon. Cette manifestation patriotique est connue sous le nom du «Mouvement du 4 mai». En 1928, Pékin redevient la capitale nationale sous le régime du Guomindang (parti nationaliste), dirigé par Tchang Kaï-Chek. Pour la première fois dans l'histoire de la ville, les places fortes de l'empire, de la Cité interdite au Temple du Ciel, furent ouvertes au peuple de Chine.

Le progrès et la liberté furent de courte durée car le Japon envahit le nord de la Chine à la veille de la Deuxième Guerre mondiale et s'empara de la capitale en 1937, après l'«incident du Pont Marco Polo» (l'un des nombreux bâtiments dont Pékin se dota au XXe siècle). Les Japonais occupèrent Pékin jusqu'à la fin de la guerre en 1945. Nankin devint alors la nouvelle capitale de la Chine sous le règne du parti nationaliste, mais des changements révolutionnaires étaient dans l'air.

Communistes et capitalistes

Le 1er octobre 1949, la création d'une nouvelle nation, la République populaire de Chine, fut annoncée du haut d'un podium sur la place Tian'anmen et Pékin fut à nouveau proclamée capitale nationale. Cette nouvelle Chine était radicalement différente. Ce pays dirigé par Mao Zedong devint le plus grand Etat communiste du monde et lança un programme original pour venir à bout de l'héritage «féodal» issu d'un empire millénaire.

Le parti communiste chinois lança d'abord un programme de reconstruction, afin de transformer et de moderniser la nation. A Pékin, les murs de l'ancienne ville furent démolis et les douves asséchées. Il ne reste aujourd'hui que quelques portes et tours monumentales. La première ligne de métro chinoise suit un parcours en boucle le long des fondations des murs de la ville et ses stations portent le nom des anciennes portes. Dans les années 1959, la place Tian'anmen fut agrandie, l'avenue Chang'an élargie, le Palais de l'Assemblée du peuple reconstruit, et les Musées de l'Histoire chinoise et de la Révolution ouvrirent leurs portes. Les vieux quartiers commencèrent à être remplacés par des hauts immeubles en brique et en béton. Pékin devint une puissante municipalité autonome (ne faisant partie d'aucune province) et le siège du nouveau gouvernement révolutionnaire de la nation.

La «révolution culturelle» (1966–1976) coupa Pékin du monde extérieur. Mao et ses plus fidèles lieutenants fermèrent les institutions du pays et se lancèrent dans une chasse aux sorcières à l'encontre de tous ceux qui étaient soupçonnés d'avoir des idées, des actions ou des passés «incorrects» (ce qui à l'époque comprenait tous ceux qui ne brandissaient pas le «petit livre rouge»). Nombre de temples et de sites historiques de Pékin furent non seulement fermés mais endommagés, au nom d'une rupture totale avec la féodalité et la superstition du passé. Les rénovations qui suivirent cette période de démolition culturelle ne sont pas terminées et certains sites anciens n'ont pas encore été réouverts.

Cependant, après la mort de Mao (dont le mausolée très visité sur la place Tian'anmen

Cette statue donne le ton, à l'extérieur du Mausolée de Mao, sur la place Tian'anmen.

Vénérer le passé: le Temple de Confucius rend hommage au grand philosophe chinois.

fait office de monument à «l'empereur» moderne de la Chine), Pékin entra dans une ère de réformes économiques libérales qui transformèrent à nouveau la capitale. Sous l'égide du leader suprême, Deng Xiaoping, la Chine ouvrit ses portes à la culture et aux investissements occidentaux dans les années 1980.

Au moment de la mort de Deng en 1997, Pékin commençait à prendre la forme d'une capitale internationale de style occidental, avec autoroutes, gratte-ciel, centres commerciaux, hôtels de luxe, concerts de rock et technologie informatique de pointe; sans parler bien sûr de la hausse de la criminalité, de la pollution, du chômage et des inégalités de revenus si grandes que Mao doit se retourner dans sa tombe.

La silhouette de la ville s'élève chaque année de plus en plus haut, le verre et l'acier remplacent la brique et la terre des vieilles cours, les voitures remplacent les chars à bras et les ordinateurs les bouliers. L'actuel Pékin ne ressemble plus aux rives du lac Behai qu'habitaient Koubilay Khan et Marco Polo, ni à la Cité interdite des Ming, au Palais d'été des Qing, au Temple de Confucius, ou même au mausolée du Grand Timonier. Mais la capitale chinoise d'aujourd'hui n'échappe pas à l'histoire qui l'a forgée et qui émerveille toujours les visiteurs.

QUE VOIR

Pékin compte nombre de quartiers qui offrent de fascinantes promenades, mais les sites sont éparpillés à travers cette ville étendue et vous devrez souvent prendre un taxi, un bus ou un métro quel que soit l'emplacement de votre hôtel. En nous basant sur le tracé de l'ancienne cité, nous avons divisé la ville en partant des sites du centre-ville en quatre quarts de cercle (nord, sud, est et ouest).

L'agglomération de Pékin s'étend sur 750 km^2, avec la Cité interdite et la place Tian'anmen au centre géographique. L'avenue Chang'an coupe ces deux sites sur un axe est-ouest qui traverse toute la capitale. Un axe nord-sud parcourt les 8 km qui relient le Temple du Ciel aux Tours de l'Horloge et du Tambour en traversant la Cité interdite. Le vieux Pékin, autrefois encerclé par des murailles massives et neuf portes monumentales, est aujourd'hui circonscrit par une ligne de métro moderne et une autoroute périphérique, la deuxième route circulaire, qui parcourt 231,2 km. Par ailleurs, la troisième route circulaire (48 km) encercle la plus grande partie de la ville urbaine qui déborde toutefois vers des quatrième et cinquième routes circulaires.

La Cité interdite et la place Tian'anmen, séparées par une large avenue est-ouest, l'avenue Chang'an, forment le centre géographique de Pékin. Ce sont des points de repères faciles pour situer les sites qui se trouvent dans les quartiers nord, sud, est ou ouest de la ville.

LE CENTRE-VILLE

Le centre géographique de la ville abrite le site historique le plus exceptionnel de Pékin: la Cité interdite. Du côté sud de l'avenue Chang'an se trouve le site moderne le plus important de la ville: la place Tian'anmen. Et, à l'est de la Cité interdite

Les principaux sites de Pékin

Le Parc Beihai. *Centre-ville, au nord-ouest de la Cité interdite.* Le plus ancien parc impérial de la capitale.

La Cité interdite. *Avenue Chang'an, centre de Pékin.* Ce vaste ensemble de palais impériaux et de cours abrita les dirigeants des dynasties Ming et Qing pendant six siècles.

La Grande Muraille. *A deux heures de voiture au nord de Pékin.* Vous pouvez visiter les célèbres portions de la dynastie Ming à Badaling, Mutianyu et Simatai.

Hutong. *Au nord de la Cité interdite.* Ces ruelles tortueuses des anciens quartiers de Pékin, qui serpentent entre les habitations sur cour, permettent d'agréables promenades.

Le Temple des Lamas. *Nord-est de la Cité interdite.* Cet ensemble est le temple le plus populaire de la ville; vous y verrez des moines résidents, nombre de fidèles locaux et de splendides salles ornées de statues bouddhiques tibétaines.

Liulichang rue de la culture. *Sud-ouest de la place Tian'anmen.* Ce quartier historique de Dazhalan est une avenue restaurée de boutiques d'antiquités aux toits de tuiles, de vendeurs d'artisanat, de maisons de thé et de boutiques de soieries.

Le Palais d'Eté. *Une douzaine de kilomètres au nord-ouest du centre-ville.* Ce jardin impérial chinois de premier ordre (résidence saisonnière des empereurs et impératrices Qing) est le plus beau parc de Pékin. Il est agrémenté de pavillons historiques, de ponts et de chemins couverts.

La Place Tian'anmen. *Centre géographique de la ville au sud de la Cité interdite.* C'est la plus grande place publique du monde. Vous y trouverez le mausolée de Mao, le Palais de l'Assemblée du peuple et le Musée de l'Histoire chinoise.

Le Temple du Ciel. *Au sud de la place Tian'anmen.* Un grand parc très apprécié des locaux abrite une magnifique salle de prières circulaire pour les bonnes récoltes qui est utilisée pour les rites impériaux depuis 1420.

Le Temple du Nuage blanc. *A l'ouest de Pékin.* C'est le plus grand temple taoïste de Pékin, assombri par les épaisses fumées d'encens et les anciennes superstitions: c'est l'endroit idéal pour se mêler aux fidèles locaux.

Pendant six siècles, elle abrita les dirigeants Ming et Qing.
Aujourd'hui, la Cité interdite attire les visiteurs par millions.

s'ouvre Wangfujing Dajie, la plus grande rue commerçante de la capitale. Ces trois sites sont voisins les uns des autres, ce qui est rare à Pékin.

La Cité interdite

Achevée par l'empereur Yongle en 1420, la **Cité interdite** (Zijin Cheng), au cœur de Pékin, fut la résidence de 24 empereurs consécutifs des dynasties Ming (1368–1644) et Qing (1644–1911). Les murs d'enceinte, hauts de 9 m, entourent 74 ha de magnifiques pavillons, palais, cours et jardins, comptant environ 10 000 salles. Les Chinois appellent la Cité interdite le Musée du palais (Gu Gong). C'est réellement un musée d'architecture impériale et d'artisanat dans lequel on peut voir également les collections privées des empereurs.

Le portrait de Mao orne la Porte du Ciel, une arche qui marque l'entrée de la Cité interdite.

L'entrée principale, au sud, passe par la **Porte du Ciel** (Tian'anmen), une immense arche portant le portrait de Mao, faisant face à l'avenue Chang'an et à la place Tian'anmen. Vous trouverez la caisse d'entrée un peu plus au nord, le long d'un couloir central qui mène à la Porte du Midi (Wumen), où il est également possible de louer des cassettes audio en diverses langues. Au-delà de la Porte du Midi, vous entrez dans la cour extérieure qui contient de magnifiques pavillons de cérémonies donnant sur de vastes cours. La Porte du Midi rejoint la première grande salle par la Porte de la Suprême Harmonie, agrémentée de cinq ponts de marbre blanc.

La première grande salle de la cour extérieure, la Salle de la Suprême Harmonie (Tai He Dian), abrite le trône en forme de dragon de l'empereur. La deuxième salle, la salle de l'harmonie parfaite (Zhong He Dian), abrite un trône plus petit d'où l'empereur s'adressait à ses ministres. La dernière salle de la cour extérieure est la Salle de la Préservation de l'harmonie (Bao He Dian), où les empereurs recevaient les meilleurs étudiants de Chine lors des examens impériaux annuels qui départageaient les candidats voulant

Le Palais des Eunuques

Pendant près de 2000 ans, les empereurs chinois exigèrent que tous les serviteurs mâles soient eunuques afin de protéger leurs femmes et leurs nombreuses concubines. Certains de ces serviteurs, très proches des dirigeants et des membres de la famille royale, se hissèrent à des positions de pouvoir qui leur permirent d'amasser de larges fortunes, voire de diriger les affaires de l'Etat. Les dirigeants de la dynastie Ming auraient employés plus de 20 000 eunuques dans la Cité interdite. Leur nombre diminua progressivement jusqu'en 1911, où ils n'étaient plus que 1000.

Les eunuques étaient issus des rangs les plus pauvres de la population et ils étaient souvent achetés enfants. Les familles Lin et Bi de Pékin étaient chargées des castrations légales et fournissaient des certificats d'authenticité à la cour. Les eunuques lettrés pouvaient devenir secrétaires ou professeurs dans la Cité interdite, mais la plupart d'entre eux étaient confinés dans les travaux subalternes dans les cuisines et les jardins. Ils étaient battus à la moindre faute et leurs maîtres avaient droit de vie ou de mort sur eux.

Les quelques eunuques qui se hissèrent à une position de pouvoir furent en mesure d'acheter des maisons, des terres et des commerces à l'extérieur de la Cité interdite. A leur retraite, les plus riches d'entre eux se retiraient souvent dans des monastères bouddhistes auxquels ils faisaient souvent des dons conséquents.

Alors que les castrations étaient inégalement réussies (des rumeurs de romances entre les eunuques et les jeunes femmes du palais circulaient constamment), les eunuques faisaient généralement pitié, tout en étant souvent méprisés. Dans cette nation où la famille occupait une place centrale et où il fallait faire des garçons, les eunuques étaient condamnés à la marginalité, même si les plus riches d'entre eux établissaient leur demeure en dehors de la Cité interdite et y installaient une famille légale, constituée de leurs femmes et d'enfants adoptés, d'un bon nombre de serviteurs, voire d'un harem de concubines.

entrer dans la bureaucratie. Ces trois salles datent de 1420, mais furent rénovées ou reconstruites par les empereurs Qing.

Les salles d'exposition de l'est se trouvent entre les cours intérieures et extérieures et il faut faire un détour par la droite en remontant vers le Nord. La Salle des Horloges, qui se trouve dans la Salle du Culte des ancêtres (Feng Xian Dian), abrite la collection impériale de montres, datant pour la plupart du XVIIIe siècle et provenant de cadeaux d'Angleterre, d'Amérique et d'Europe. Non loin de là, dans la Salle des Joyaux, qui se trouve au sein du Palais de la Tranquillité et de la Longévité (Ning Shou Gong), vous découvrirez une autre exposition de trésors impériaux comprenant notamment les robes de l'impératrice Cixi. Le théâtre privé de l'impératrice, le jardin de pierre de l'empereur Qianlong et le «paravent des neuf dragons» (Jiu Long Bi), ainsi qu'une mosaïque en céramique de 30 m de long, créée en 1773, se trouvent également dans cette section de la Cité interdite.

Trois pavillons privés composent la cour intérieure qui se trouve sur l'axe central de la partie nord de la Cité interdite. Ces pavillons servaient de résidence aux empereurs et à leur famille. Les concubines impériales et les eunuques vivaient aussi dans cette partie et le personnel domestique s'élevait à plus de 1000 personnes. Le premier pavillon, le Palais de la Pureté céleste (Qian Qing Gong), était la résidence privée des empereurs Ming. Le deuxième, appelé Salle de l'Union (Jiao Tai

Regardez ce type avec ses huit copains sur l'écran des neuf Dragons.

La place Tian'anmen, la plus grande place publique du monde, témoin du tragique mouvement étudiant de 1989.

Dian), abrite le trône d'une impératrice Qing. Le troisième est le Palais de la Tranquillité terrestre (Kun Ning Gong). C'est ici qu'en 1922, on maria le dernier empereur chinois, Puyi, encore enfant.

Les **jardins impériaux** (Yu Hua Yuan)se trouvent près de la porte nord de la Cité interdite. Ils sont agrémentés de petits pavillons, de très vieux cyprès et de poulaillers complexes, datant tous de la dynastie Ming. Le dernier édifice important abrite la Salle de la Paix impériale (Jin An Dian), un temple taoïste dédié à Xuanwu, le dieu du feu.

La place Tian'anmen

S'étendant sur 40 ha au sud de la Cité interdite, la **Place Tian'anmen** (Tian'anmen Guangchang) est la plus grande place publique du monde. Cette vaste esplanade n'existait pas à l'époque des empereurs. C'est au XXe siècle qu'elle devint le site principal de réunion pour les cérémonies nationales et les manifestations politiques. Elle fut élargie à sa superficie actuelle sous le régime de Mao Zedong. En vue des célébrations du cinquantenaire de la fondation de la République populaire, le 1er octobre 1949, la place Tian'anmen fut récemment rénovée et l'on remplaça les vieux pavés par des blocs de granit.

A l'extrémité de la place Tian'anmen (près de la Tour d'angle), le **Qianmen** (porte frontale), âgé de 500 ans, est l'une des neuf portes monumentales de la muraille de la ville. La plupart des autres portes furent détruites lors de la modernisation de Pékin entre 1958 et 1959. En montant au sommet de cet édifice imposant, qui abrite une exposition de photographies montrant le vieux Pékin, on obtient une vue d'ensemble de la capitale. La cour impériale passait par là une fois par an, lors de sa procession jusqu'au Temple du Ciel.

Egalement sur la partie sud de la place Tian'anmen, vous verrez le **Mausolée de Mao Zedong** (Mao Zhuxi Jinian Bei), qui ouvrit

L'imposant bâtiment de la Grande Assemblée du Peuple s'étend à l'ouest de la place Tian'anmen.

ses portes en 1977, un an après sa mort. Très apprécié des touristes chinois, cet édifice se constitue d'une salle de réception (qui abrite une statue du Grand Timonier siégeant sur son «trône») et une salle intérieure où l'on peut voir Mao dans un sarcophage de cristal. Les visiteurs, qui maintiennent un silence respectueux, sont rapidement dirigés vers la boutique de souvenirs au fond.

Le **Monument aux héros populaires** (Renmin Yinxiong Jinian Bei), à l'ouest de la place, devint mondialement célèbre lorsqu'il fut choisi comme poste de commandement par les manifestants en faveur de la démocratie lors de l'occupation de la place Tian'anmen en 1989. Cet obélisque de granit de 38 m de haut fut érigé en 1958. Il renferme des pièces de calligraphie de la main de Mao et est sculpté des scènes marquantes de l'histoire révolutionnaire chinoise.

L'imposant **Palais de l'Assemblée du peuple** (Renmin Dahui Tang) longe la place Tian'anmen à l'ouest sur près d'1 km. Ouvert en 1958, cet édifice abrite les instances législatives chinoises depuis cette date. En dehors des sessions parlementaires, le palais est ouvert au public qui peut ainsi visiter sa salle des banquets, ses 32 salles de réception (une pour chaque province et région) et le somptueux grand auditorium qui peut contenir jusqu'à 10 000 représentants.

A l'est de la place, vous verrez deux grands bâtiments qui abritent deux grands musées. Le **Musée de la Révolution chinoise** (Zhongguo Gemin Lishi Bowuguan), au nord, rassemble plus de 10 000 articles ayant trait à la politique révolutionnaire, et plus particulièrement aux événements marquant le début de l'histoire du parti communiste chinois (1919–1949).

Au sud, le **Musée de l'Histoire chinoise** (Zhongguo Lishi Bowuguan) est plus général. C'est l'un des plus beaux musées de Chine et il possède les plus larges collections du pays. Ses quelque 300 000 pièces sont exposées sur deux niveaux par ordre chronologique, du paléolithique à la dernière dynastie (les

Qing). Même si l'on peut regretter que les vitrines d'exposition soient un peu vétustes et que les explications ne soient écrites qu'en chinois, ce musée présente la vision la plus complète de l'histoire de la civilisation chinoise, illustrée par ses trésors nationaux, que tout autre musée du pays.

La rue Wangfujing

C'est la rue la plus commerçante de Pékin et elle abrite également de nombreux sites historiques et culturels. La **rue Wangfujing** (Wangfujing Dajie) commence à quelques pâtés de maisons à l'est de la Cité interdite et part vers le nord de l'avenue Chang'an.

L'Hôtel de Pékin (Beijing Fandian) qui commença sa carrière sous le nom de «Grand Hôtel de Pékin» et sous direction étrangère en 1917, s'est agrandi de plusieurs ailes au fil des décennies. Sa visite donne une idée de l'évolution de l'architecture chinoise au cours du XXe siècle. La rue Wangfujing elle-même a une longue histoire. Sous les dynasties Ming et Qing, elle fut réservée aux riches et puissantes familles, puis à la fin du XIXe siècle, les Occidentaux s'y installèrent et la rue fut surnommée «Morrison Street», d'après le correspondant du *London Times*. Les commerçants ont depuis longtemps concentré leurs affaires le long des petites rues attenantes qui sont encore aujourd'hui bordées de maisons de thé, de boutiques de soieries, de galeries d'art, de marchés de plein air et de centres commerciaux modernes.

Le plus grand centre commercial moderne de Pékin, **Sun Dong An Plaza** (38 Wangfujing) rassemble sur 7 niveaux des boutiques étrangères, des supermarchés et des espaces de restauration rapide. En face, le grand magasin de Wangfujing (au 255), qui fut longtemps le magasin le plus à la mode de toute la Chine semble aujourd'hui vous ramener dans les années 1950. Un peu plus loin, dans la même rue, vous arriverez à l'endroit préféré des amateurs de librairies, le Foreign Language Bookstore (au 235 de la même rue), qui se targue de posséder la plus grande collection de livres et de magazines étrangers de toute la capitale. En traversant la rue, vous arriverez à **l'Eglise catholique Saint-Joseph** (Dong Tang), dite «église de l'est» qui fut rasée lors de la «révolte des Boxers» (1900), puis immédiatement rebâtie. On y dit la messe du dimanche en latin et en chinois uniquement.

A l'extrémité nord de Wangfujing, vous arriverez à la **Galerie d'art de Chine** (Zhongguo Meishuguan), le palais des expositions des artistes chinois. Ce musée monumental, construit en 1959, en respectant l'architecture chinoise, rassemble 14 galeries où sont exposées des œuvres traditionnelles ou contemporaines. Vous pourrez voir des artistes à l'œuvre dans leurs ateliers et acheter des pièces contemporaines dans la boutique du musée.

A l'extrémité sud de Wangfujing (un pâté de maisons à l'ouest, sur la rue Dongdan), près d'une presse de plein air et d'un marché de la monnaie se trouve **l'hôpital de la capitale** (Xiehe Yiyuan), qui est équipé d'un service d'urgence pour les étrangers. Situé dans une villa ayant appartenu à un prince de la dynastie Qing, il fut fondé en 1915, grâce au financement du millionnaire américain John D. Rockefeller. Cet hôpital s'appelait autrefois le Peking Union Medical Hospital.

> **Les cafés situés dans les halls des hôtels internationaux qui bordent Wangfujing permettent de faire une pause agréable lors de votre visite.**

Non loin de là, au carrefour de la rue Wangfujing et de l'avenue Chang'an, vous découvrirez le plus vieux site de la capitale, les vestiges récemment exhumés d'un village du paléolithique supérieur, datant de 20 000 ans, où l'on a retrouvé des fossiles humains, des os de buffles et des outils de chasse. Ironiquement ce site archéologique a été découvert dans les fondations de l'une des attractions les plus modernes de Pékin: l'immense centre d'Oriental Plaza.

Une marche bien récompensée: au sommet du parc Jing-shan, la vue sur la ville est magnifique.

LE NORD DE PÉKIN

Les quartiers situés au nord de la Cité interdite abritent les plus beaux paysages de Pékin. C'est là que vous trouverez les parcs et les lacs impériaux, les temples et les tours, les résidences princières et quelques-uns des plus vieux quartiers de la ville.

Vous retrouverez l'ambiance des promenades impériales dans le **Parc Jingshan** (Jingshan Gongyuanm dit «parc aux beaux paysages»), également appelé Montagne de Charbon (Meishan), qui s'élève tout de suite au nord de la Cité interdite. Ce parc fut construit à la main avec la terre extraite des douves au début du XVe siècle. Une promenade d'une dizaine de minutes vous mènera au sommet, jusqu'au Pavillon du Printemps éternel (Wanchun Ting) d'où vous jouirez d'une vue exceptionnelle sur la Cité interdite et ses palais aux toits de tuiles dorées. Tout de suite à droite (ouest) de l'ancienne Cité interdite se dresse son pendant moderne, le Zhongnanhai, où sont retranchés les actuels dirigeants communistes de la Chine (formellement interdit aux visiteurs).

Le parc Beihai

Le plus ancien jardin impérial, le **Parc Beihai** (Beihai Gongyuan) fut construit sur le plus grand lac de la capitale, il y a plus de 800 ans. Près de l'entrée sud, dans la Ville ronde (Tuan Cheng), vous verrez une vaste embarcation de cérémonie en jade vert qui fut présentée en 1265 à Koubilay Khan, qui construisit un palais sur les rives de ce lac où il avait reçu Marco Polo au XIIᵉ siècle.

La magnifique île Hortensia (Qionghua Dao), construite avec la terre récupérée lors de la création du lac Beihai est couronnée d'une **Pagode Blanche** (Bai Ta), l'une des merveilles architecturales de Pékin. De style tibétain, ce *dagoba* commémore une visite du Dalaï Lama en 1651 et mesure 36 m de haut. A ses pieds, sur la colline de la fontaine de Jade au sud, vous verrez le Temple Yongan (Yongan Si), un ensemble lamaïste bien préservé. La rive nord de l'île est bordée d'une promenade couverte, connue sous le nom de Galerie peinte, et d'un groupe de pavillons impériaux

datant de la dynastie Qing. C'est ici que se trouve le restaurant traditionnel Fangshan, qui fut fondé par des chefs qui cuisinèrent autrefois pour l'empereur à l'intérieur de la Cité interdite.

Sur la rive ouest du lac Beihai, vous trouverez plusieurs pavillons et jardins construits au cours de la dynastie Qing, notamment un joli jardin de pierre et d'eau, Hao Pu Jian, où

La Pagode blanche du Parc Beihai commémore la visite du Dalaï Lama en 1651.

l'impératrice Cixi venait écouter de la musique. L'atelier du bateau peint (Hua Fang Zhai) est un autre jardin, construit sur la rive par

> **Ne buvez pas d'eau qui ne provienne pas d'une bouteille scellée. Même dans les meilleurs hôtels, l'eau du robinet n'est pas potable à Pékin.**

l'empereur Qianlong au XVIIIe siècle, célèbre pour son large bassin de pierre. Sur la rive nord du lac, l'atelier de l'esprit serein (Jing Xin Zhai), était la retraite préférée du dernier empereur chinois, Puyi. La palissade à deux faces des «neuf dragons», conçue au XVIIIe siècle à partir de carreaux de céramiques semblables à ceux de l'original qui se trouve à l'intérieur de la Cité interdite, se trouve sur la rive est.

Les pavillons, pagodes et volières de la rive nord-est sont appelés collectivement «jardins parmi les jardins» et accueillaient la cour impériale qui venait profiter du lac. Le site le plus marquant est **le petit paradis occidental** (Xiao Xi Tian), qui consiste en une pagode carrée et quatre tours, érigées, en 1770, comme sanctuaire à la déesse de la compassion (Guanyin). Des bateaux de promenade partent de la rive est, du pavillon des cinq dragons, pour l'île Hortensia.

Aujourd'hui, le lac Beihai n'est plus réservé à la cour impériale et c'est l'endroit le plus populaire de Pékin pour faire une promenade en barque l'été ou du patin à glace l'hiver.

Les lacs de l'arrière et les Hutong

Les trois premiers lacs du centre de Pékin, Nanhai, Zhonghai et Beihai, s'étendent à l'ouest de la Cité interdite, au nord de l'avenue Chang'an, et vont se connecter aux trois lacs dits «de l'arrière» (**Shi Sha Hai**), connus sous les noms de Qianhai, Houhai et Xihai. Ces lacs faisaient autrefois partie de la route par laquelle on acheminait les grains et les produits de luxe, via le Grand Canal, jusqu'à la Cité interdite. Par la suite, ces canaux furent utilisés par les barges impériales lorsque l'empereur voulait faire une promenade. Tous reliés entre eux, ces lacs offrent de merveilleux sites de promenade. Le quartier des lacs de l'arrière abrite de nombreux sites historiques intéressants (des villas princières aux vieux temples et jardins) mais il est surtout connu pour ses ruelles tortueuses et ses maisons traditionnelles sur cour.

A la pointe nord des lacs de l'arrière, le **Temple de Huifeng** (Huifeng Si) est perché sur une petite île rocheuse du lac Xihai. C'est un merveilleux lieu de pique-nique. A l'est de ce temple, au nord de la deuxième route circulaire, se dresse la De-

Sacré et pittoresque: le Temple de Huifeng, situé au sommet d'une petite île rocheuse.

shengmen, une porte monumentale assortie d'une tour d'angle datant de la dynastie Ming, qui a survécu à la démolition des remparts. Elle abrite un petit musée consacré à l'histoire locale des quartiers de *hutong*. Dans la cour de Deshengmen, vous trouverez un musée de la monnaie et un marché d'antiquités.

Sur la rive est du lac Houhai, au milieu des trois lacs de l'arrière, vous verrez la **Résidence de Soong Ching-ling** (Soong Ching Ling Guzhu), où la célèbre Soong, qui épousa Sun Yat-sen, vécut de 1963 jusqu'à sa mort en 1981. Son domaine et son jardin classique, vieux de 200 ans, ont été transformés en musée où sont exposés des photographies et des objets qui retracent sa vie exceptionnelle. Sur la rive du même lac, le **Temple de Guanghua** (Guanghua Si), est un petit ensemble monastique bouddhiste qui reprit vie après avoir été sérieusement endommagé par les gardes rouges lors de la «révolution culturelle» (1966–1976). Près de deux douzaines de moines y résident.

La **Tour du Tambour** (Gu Lou) et la **Tour de la Cloche** (Zhong Lou) sont à quelques pâtés de maisons du Temple de Guanghau. On peut grimper au sommet de ces deux tours historiques d'où l'on a une vue magnifique sur les lacs de l'arrière. La Tour du Tambour (ouverte tous les jours de 9h à 16h30; entrée gratuite) est la plus intéressante des deux. Cette tour d'où l'on donnait l'heure à coups de tambour fut édifiée par Koubilay Khan en 1272, reconstruite par l'empereur Ming, Yongle, en 1420, puis rénovée par les empereurs Qing. Un escalier sur le côté mène au balcon où l'on peut admirer l'un des 24 tambours originaux à côté de ce qui serait le plus grand tambour du monde, construit en 1990.

> **La ruelle la plus étroite de Pékin est Qianshi Hutong; elle ne dépasse pas 38 cm au point le plus étroit. La plus courte est Yichi Dajie qui ne fait pas plus de 9 m de long.**

Qianhai, le lac le plus au sud des lacs de l'arrière donne dans le lac du parc Beihai. Il est célèbre pour ses vues sur les collines occidentales. Installés sous les saules de sa rive ouest, les vendeurs s'organisent en un vaste marché de plein air (connu sous le nom de Marché de la Fleur de lotus ou Lianghua Shichang), où l'on vend des aliments et qui, le soir, sert de lieu de rendez-vous aux chanteurs d'opéra amateurs.

A l'ouest des lacs de l'arrière, la **villa du prince Gong** (Gong Wang Fu) est la villa impériale la mieux préservée de Pékin. Le prince Gong, frère de l'empereur et père du dernier empereur de Chine, Puyi, vécut sur ce domaine au milieu du XIXe siècle, utilisant ses 31 pièces et pavillons comme résidence privée. Le domaine est agrémenté de nombreuses cours, de ponts en arche, d'étangs, de jardins de pierre et de sa propre pagode.

Les quartiers des lacs de l'arrière se distinguent par leurs *hutong* (ruelles) et *siheyuan* (maisons sur cour) qui caractérisaient la ville de Pékin durant les dynasties Ming et Qing. Elles sont encore communes aujourd'hui et presque la moitié de la population de la capitale vit dans une maison rectangulaire donnant sur une cour. Toutefois les hutong et les siheyuan apparaissent comme des symboles du Pékin d'autrefois, menacés par l'urbanisme moderne. Moins de 2000 maisons sur cour se trouvent dans des zones préservées. Ces maisons, autrefois habitées par une famille riche et ses serviteurs, sont aujourd'hui partagées par plusieurs familles.

Vous pouvez visiter les *hutong* à votre guise, à pied, sur une bicyclette de location ou en pousse-pousse. Mais la plupart des visiteurs préfèrent suivre une visite guidée. L'agence Beijing Hutong Tourist (tél. 6615-9097) organise des visites à partir de la réception des hôtels et dispose d'une flotte de pousse-pousse aux toits rouges, conduits par un guide parlant anglais. La visite des hutong inclut de nombreux sites des alentours des lacs de l'arrière et offre l'occasion de descendre dans l'une des cours et de discuter avec les résidents.

La porte ornementale du Temple des Lamas, l'ensemble monastique bouddhiste le plus célébré de Pékin.

Le Temple des Lamas et le Temple de Confucius

☛ L'ensemble monastique le plus populaire de Pékin est le **Temple des Lamas** (Yong He Gong). Cet édifice, construit en 1694 pour un prince qui devint par la suite l'empereur Qing Yongzheng, fut converti en temple en 1744. Sous le règne de Qianlong, le temple était le centre du bouddhisme tibétain (secte des «bonnets jaunes», *gelugpas*) en Chine. Le Temple des Lamas, vaste et richement décoré, abrite aujourd'hui quelque 200 moines résidents.

Ses cinq salles de prières sont spacieuses. L'encensoir le plus vieux de la capitale se trouve entre les deux premières salles (1747). Le trône de Sa Sainteté le Dalaï Lama est dans la quatrième salle de prières (Falun Dian). La dernière salle abrite la statue la plus vénérée du temple: une représentation du Bouddha de 23 m, taillée dans du bois de santal tibétain, dont la tête dépasse le troisième étage du pavillon. Les salles adjacentes renferment de nombreuses statues bouddhiques, notamment tantriques, dont certaines parties sont enveloppées dans des écharpes de soie aux couleurs vives.

De l'autre côté de la rue, face au Temple des Lamas généralement bondé, vous verrez le **Temple de Confucius** (Kong Miao) où l'atmosphère est plus calme. C'est le plus grand sanctuaire dédié au philosophe chinois en dehors de sa ville natale, Qu Fu. Construit en 1306, cet ensemble a longtemps fait partie du Collège impérial (Guozi Jian) et ses cours regorgent de tablettes de pierre, gravées en l'honneur des étudiants qui, depuis l'époque de Koubilay Khan, ont réussi les examens nationaux pour entrer dans l'administration.

L'exposition la plus intéressante est située dans la partie longue du bâtiment, près du mur oriental. C'est un musée sur l'histoire de Pékin qui fournit un aperçu assez complet avec des indications en chinois et en anglais. Dans une autre salle, vous verrez une édition complète, gravée sur pierre, des œuvres de Confucius. Près de l'entrée, à l'intérieur de la porte principale, vous trouverez le Centre Donald Sussman d'antiquités chinoises, qui a ouvert en 1995. Au nord de cet ensemble, vous découvrirez une statue de Confucius et une collection de tambours de pierre du XVIIIᵉ siècle qui servaient lors des cérémonies confucéennes.

LE SUD DE PEKIN

Peu de touristes s'aventurent dans les quartiers de Xuanwu et Chongwen au sud de l'avenue Chang'an et de la place Tian'anmen, sauf pour visiter le Temple du Ciel et peut-être faire quelques pas dans la charmante rue de la culture Liulichang. Il y a pourtant d'autres sites intéressants.

L'ancien **Quartier des Légations**, siège des légations étrangères à Pékin de 1860 à 1937, se trouve à l'est de la place Tian'anmen. Même s'il n'abrite plus les résidences diplomatiques de la capitale, vous trouverez dans ce quartier des anciennes ambassades, des clubs, des casernes, des églises et des bâtiments commerciaux qui ont pour la plupart été convertis en instituts, banques et bureaux chinois. L'architecture du quartier est fascinante. Le long de Taijichang Dajie (l'ancienne rue des Douanes), juste au sud de Dongchang'an Jie (avenue Chang'anest), se trouve l'ancienne légation autrichienne (devenue l'Institut des Etudes internationales), la légation italienne (devenue l'Association du Peuple chinois pour l'Amitié avec les Pays étrangers), le Club privé de Pékin (devenu le Congrès du Peuple de Pékin) et, enfin, la légation et la caserne françaises (qui abritent à présent les bureaux du Syndicat des Ouvriers chinois).

Plus à l'ouest, le long de Jiaominxiang en allant vers la place Tian'anmen vous découvrirez l'église néogothique Saint-Michel, édifiée en 1902 par les Français et toujours active. C'est également là que se trouvent l'Hôpital allemand (devenu l'Hôpital de Pékin) et les anciennes ambassades d'Allemagne, de France, d'Espagne, des Pays-Bas et de Russie. Au nord, en remontant Zhengyi Lu (l'ancienne rue du Canal) en direction de l'avenue

Chang'an, vous verrez l'ancienne légation japonaise (devenue le bureau du maire de Pékin) et la légation britannique, qui fut autrefois la plus grande place forte occidentale à Pékin (occupée de 1860 à 1959) et qui abrite désormais les services secrets chinois.

Au sud-ouest de la place Tian'anmen, dans le quartier de Xuanwu, vous découvrirez la **Mosquée de la rue du bœuf** (Niu Jie Qingzhen Si), le cœur du vibrant quartier musulman de Pékin. C'est le siège des 200 000 membres de la minorité Hui (difficile à distinguer de la majorité Han de Pékin) qui sont arrivés en Chine, à l'époque de la dynastie Tang (618–907), venant des régions à l'extrême ouest de la Route de la soie. Cette mosquée, originellement construite en 996, est de style chinois, assortie toutefois d'une tour astronomique hexagonale, de bains, d'une salle de prières faisant face à la Mecque, d'un minaret et des tombes des chefs musulmans datant de l'époque de Koubilay Khan.

Le sud-ouest de Pékin abrite également la plus grande église catholique de la ville, l'**Eglise du Sud** (Nan Tang), également appelée Eglise de Marie. Construite sur le site de la résidence de Matteo Ricci en 1650, elle fut reconstruite pour la dernière fois en 1904 après avoir été détruite lors de la Révolte des Boxers. Les messes y sont dites en chinois, en latin et en anglais. La cathédrale est agrémentée d'un jardin de pierre, dédié à la Vierge, situé près de l'entrée sud, sur la rue Qianmen-ouest.

Le **Temple de la Source de la loi** (Fayuan Si), près de la Mosquée de la rue du bœuf, date de la dynastie Tang (696). Il abrite un collège national bouddhiste et une maison d'édition religieuse. Outre son grand nombre de novices, le collège abrite des statues des époques Ming et Qing, des bronzes, des tablettes de pierre gravées, des cloches, des peintures et des encensoirs. Le dernier des six pavillons renferme une statue du Bouddha couché (6 m).

Le Parc Grand View (Daguan Yuan), situé au coin sud-ouest de la deuxième route circulaire, est l'un des parcs les plus récents de Pékin: il a ouvert en 1986 sur l'ancien site des jardins potagers de l'empereur. Il fut conçu sur le modèle du jardin classique décrit dans le roman populaire chinois intitulé le *Rêve de la chambre rouge*. Il évoque les domaines des mandarins du XVIIIe siècle et compte nombre de lacs, pavillons, pont en arches et pagodes.

Le quartier Chongwen au sud-est de Pékin renferme trois sites populaires. Le Panjiayuan (appelé indifféremment Marché de poussière ou Marché de fantômes) est le meilleur marché de plein air de la capitale pour les antiquités et curiosités en tout genre. Allez-y plutôt de bonne heure le dimanche matin. Le **Musée d'Histoire naturelle** (Ziran Bowuguan) possède la plus belle exposition de squelettes de dinosaures de Chine. Il est situé à proximité du site le plus important du sud de Pékin: le Temple du Ciel (Tiantan).

☞ Le Temple du Ciel

Construit sous l'empereur Ming Yongle en 1420 pour qu'y soient célébrés les rites sacrés, le Temple du Ciel (Tiantan) est situé au sud de la Cité interdite. Le site porte aujourd'hui le nom de **Parc du Temple du Ciel** (Tiantan Gongyuan). L'empereur menait la procession qui partait du palais jusqu'à l'autel où se déroulaient les rites et les sacrifices annuels dédiés aux puissances du ciel. La **Salle des Prières**

Joyau de la couronne: la Salle des prières pour les bonnes moissons.

pour les bonnes moissons (Qinian Dian), pavillon circulaire couvert d'un toit de tuiles bleues et coiffé d'un globe doré, constitue l'une des œuvres architecturales les plus marquantes de cette époque. L'ensemble du sanctuaire est bâti sans clous ni poutres transversales et son magnifique plafond en voûte est soutenu par 28 piliers sculptés. Cette salle a survécu intacte jusqu'en 1889, lorsqu'elle fut incendiée par la foudre. Toutefois, la reconstruction est superbe et la salle circulaire est devenue l'emblème du Pékin impérial. Malheureusement, on ne peut qu'entrevoir l'intérieur magnifiquement décoré, car la salle est désormais fermée au public.

> Il est officiellement interdit de laisser un pourboire en Chine. Toutefois, sous l'influence occidentale, il est devenu fréquent de donner un pourboire aux coiffeurs, aux guides et aux garçons de course.

Il existe deux autres monuments importants dans le parc du Tiantan qui sont tous deux situés dans l'axe sud de la Salle de la Prière pour les bonnes moissons. Construite en 1530, la **Voûte céleste impériale** (Huang Qiong Yu) ressemble à la Salle de la Prière. C'est là que l'on entreposait les tablettes de pierre qui servaient lors des rituels du solstice d'hiver. Elle est entourée d'un mur d'écho contre lequel les visiteurs chuchotent des messages qui peuvent être entendus par leurs amis postés en divers points du mur. Le monument le plus au sud, le **Tertre circulaire** (Yuan Qiu) est une plate-forme en plein air qui date de 1530 sur laquelle on brûlait la soie offerte en sacrifice aux puissances du Ciel. Son acoustique est telle que les prières peuvent être entendues à des kilomètres à la ronde.

Le parc du Temple du Ciel est un lieu de promenade matinale très prisé des habitants de Pékin; les étudiants viennent y chercher un banc reculé pour étudier et d'autres viennent ici faire leurs exercices de *tai chi*.

La rue de la culture Liulichang et le centre commercial Dazhalan

On retrouve ici la saveur des anciens quartiers commerçants de la capitale. La rue de la culture Liulichang (Liulichang Xijie et Liulichang Dongjie) et le centre commercial Dazhalan (Dazhalan Jie) sont deux avenues est-ouest d'environ 1,5 km qui se rejoignent au sud de la place Tian'anmen.

La rue de la culture Liulichang, prisée des lettrés et des amateurs d'antiquités depuis la dynastie Ming, a été restaurée dans les années 1980. Ses boutiques aux toits de tuiles vendent des curiosités, des antiquités, des fournitures pour les arts traditionnels, des rouleaux, des peintures, des estampes et des livres anciens. Parmi les magasins les plus réputés, citons notamment Rongbaozhai (art et fournitures), le China Bookstore (livres anciens), Jijuge (une maison de thé où l'on peut voir des figurines d'argile provenant des tombeaux), et Wenshenzhai (ancien fournisseur d'éventails et de lanternes en papier de la dynastie Qing).

Liulichang donne dans **Dazhalan**, une rue pavée fermée à la circulation où l'on peut faire du lèche-vitrines: herboristeries traditionnelles, chaussures, condiments au vinaigre, soieries et vêtements. Tout à l'est, la rue piétonne de Dazhalan croise Zhubaoshi Jie (rue de la bijouterie), qui fut autrefois un quartier de théâtres et de maisons de prostitution et dont les trottoirs accueillent aujourd'hui toute sorte de vendeurs. La rue Zhubaoshi relie Dazhalan à Qianmen et à la place Tian'anmen.

L'EST DE PEKIN

Les quartiers à l'est de la place Tian'anmen, partant de l'avenue Chang'an en remontant au nord-est jusqu'à la troisième route circulaire (deux parties du vaste district de Chaoyang), ont subi les assauts de la modernisation. Ici, l'avenue Chang'an prend le nom de Jianguomenwai Dajie et se borde des plus grands hôtels internationaux et de boutiques. On peut dire la même chose de la portion nord-est de la troisième route circulaire où sont également rassemblés nombre d'hôtels internationaux et de centres commerciaux. C'est aussi là que s'est installé le premier Hard Rock Café de Chine. Entre ces deux pôles, s'étend le Sanlitun Diplomatic Compound, le quartier le plus animé de la ville pour la vie nocturne.

Pékin à vélo

Pékin est la ville de la bicyclette par excellence. Le million de véhicules motorisés de la capitale, comprenant 70 000 taxis (plus que toute autre capitale au monde) est éclipsé par les quelque 8 millions de bicyclettes. Les visiteurs peuvent en louer (y compris des vélos de montagne à plusieurs vitesses) à l'heure ou à la journée, dans les hôtels, les magasins ou les loueurs spécialisés. Vous trouverez quasiment un réparateur de vélos par pâté de maisons où vous pourrez regonfler vos pneus, les changer ou faire d'autres réparations à des prix imbattables.

Si les rues de Pékin paraissent à première vue bondées et dangereuses, il est très aisé de se joindre au flot de bicyclettes. Vous devez céder la priorité à droite aux voitures et aux piétons quand c'est possible. Les locaux ne roulent pas très vite et c'est très facile de les suivre. Si votre bicyclette est équipée d'une sonnette, activez-la aux carrefours. Le port du casque n'est pas obligatoire et la plupart des axes principaux sont équipés de pistes cyclables qui sont (normalement) interdites aux voitures et aux camions.

En dépit du nombre important de bicyclettes, elles n'ont plus la même cote et la production chinoise a quelque peu faibli ces dernières années (tout juste 20 millions par an). De surcroît, en 1998, la ville de Pékin a interdit la circulation de vélos la journée sur l'une de ses rues les plus passantes (Xisi Dong Lu, près du quartier commerçant de Xidan), sous prétexte que le passage de 100 vélos à l'heure ralentissait le flot des véhicules motorisés.

Au Marché de l'Allée de la soie, on ne trouve aujourd'hui que des soldes de prêt-à-porter de marque.

Jianguomen

La partie est de l'avenue Chang'an, entre la deuxième et la troisième route circulaire, est connue sous le nom de **Jianguomen** (d'après l'une des neuf portes monumentales de Pékin où se trouve aujourd'hui une station de métro). De nombreux hôtels internationaux sont installés dans ce quartier qui offre aussi la possibilité de faire de bons achats.

Au carrefour de Jianguomenwai Dajie et de la troisième route circulaire-est, vous verrez l'imposant centre commercial **China World Trade Center**, où vous trouverez le premier Starbucks Coffee de Chine, un cybercafé et une patinoire. Parmi les boutiques de Jianguomenwai Dajie, notez le Friendship Store, où vous pourrez dénicher des souvenirs et des cadeaux et l'**Allée de la soie** (Xiushui Shichang), le marché de vêtements en plein air le plus fréquenté de la ville. Autrefois célèbre pour ses soieries à des prix imbattables, l'allée de la soie offre aujourd'hui des vêtements de prêt-à-porter de marque et des vêtements de sport. Ce marché qui s'étend sur plusieurs pâtés de maisons au nord de Jianguomenwai Dajie, est un grand bazar animé où il faut savoir marchander, car il n'y a pas de prix affichés. L'allée de la soie mène jusqu'au quartier diplomatique moderne, très calme, où se trouvent la plupart des ambassades.

Au nord de l'allée de la soie et du Friendship Store, vous arriverez au **Parc Ritan** (Ritan Gongyuan), où se trouve le Temple du Soleil. L'autel, où l'empereur célébrait les rites annuels, fut érigé sur une colline en 1530 et est aujourd'hui coiffé d'un pavillon. Le parc Ritan est agrémenté, au coin sud-ouest, d'un jardin de pierre et d'un étang où l'on peut pêcher. Il est bordé au nord par le vaste Marché russe (Yabaolu), où les vendeurs chinois fournissent aux marchands russes des tapis, de l'artisanat et des vêtements, notamment du cuir, des fourrures et des bottes.

L'ancien observatoire

L'**Ancien Observatoire** (Guguan Xiang Tai) de Pékin fut élevé en 1442 sous la dynastie Ming. Il se trouve au carrefour de l'avenue Chang'an et de la deuxième route circulaire-est, et juste au-dessus d'une station du métro de Pékin. L'observatoire a remplacé celui de Koubilay Khan. L'exposition, à l'intérieur du mur de briques qui ressemble à un pan des anciens remparts, présente notamment une carte du ciel en feuille d'or, comme on en faisait en Chine il y a 500 ans. Sur le toit, vous verrez une jolie collection

Regarder des étoiles: l'Ancien Observatoire, autre vestige de la dynastie Ming.

d'instruments en bronze de la dynastie Qing (des copies) conçus par les missionnaires jésuites qui résidaient à Pékin au XVIIᵉ siècle. La vue depuis la terrasse englobe le centre de Pékin, la Cité interdite et la place Tian'anmen.

Sanlitun

Situé au cœur du vaste quartier diplomatique, entre Dongzhimenwai Dajie et la rivière Liangma, **Sanlitun** est devenu le quartier des noctambules de Pékin. Une bonne soixantaine de petits cafés qui proposent de la cuisine internationale la journée, de l'alcool et de la musique la nuit, sont installés

A ne pas manquer: promenade dans l'extraordinaire Long Couloir du Palais d'été.

sur Sanlitun Lu, qui a été officiellement renommée rue des bars Sanlitun (Sanlitun Jiuba Jie). C'est le rendez-vous des expatriés, des touristes étrangers et des jeunes de Pékin qui se retrouvent l'été sur les terrasses pour dîner, boire et regarder passer les gens. A l'ouest de Sanlitun Lu, vous trouverez deux marchés de plein air, l'un proposant des meubles en rotin et des objets artisanaux en bambou et l'autre des vêtements occidentaux de marque.

Les cafés et les bars de Sanlitun débordent de Sanlitun Lu vers le sud-ouest dans une petite allée, appelée Dongdaqiao Xie Jie. Celle-ci mène au Stade des Ouvriers de Pékin et au plus vieux bar d'expatriés de style américain, Frank's Place. Si Sanlitun est privé de sites historiques, le quartier se distingue dans le Pékin moderne par son côté cosmopolite.

L'OUEST DE PEKIN

Deux des principaux sites de Pékin, le palais d'été et les collines occidentales, sont situés au nord-ouest de l'expansion urbaine de la ville. Le paysage vallonné du quartier de Haidian abrite les meilleures universités de Chine et les chercheurs en informatique. En vous rapprochant du centre-ville, vous verrez quatre temples importants, le Musée d'Art de Pékin et le Zoo.

☞ Le Palais d'été

Habité de palais impériaux depuis le règne de Koubilay Khan, le site du **Palais d'été** (Yi He Yuan) obtint sa forme actuelle lors des reconstructions de 1749 à 1764. L'empereur Qianlong veilla à l'agrandissement du parc, de ses collines et de son lac et ajouta les pavillons et les salles que l'on voit aujourd'hui. La cour impériale résidait ici durant les mois d'été afin d'échapper à la chaleur du centre de Pékin et de la Cité interdite. C'est aujourd'hui un espace de loisirs apprécié des résidents et des touristes et beaucoup s'accordent à dire que c'est le plus beau jardin impérial de Chine.

Le Palais d'été fut détruit deux fois après son agrandissement par les premiers empereurs Qing. En 1860, pendant la deuxième «guerre de l'opium», les troupes anglaises et françaises qui envahirent Pékin, mirent nombre de bâtiments à sac. L'impératrice Cixi assura son entière restauration en 1886, mais les troupes occidentales revinrent en 1900, en représailles pour le siège des légations étrangères lors de la «révolte des boxers». Inébranlable, l'impératrice ordonna une seconde restauration en 1903. Le palais d'été devint une version rustique de la Cité interdite et sa résidence préférée, même après la fin des grosses chaleurs. A l'instar de la Cité interdite, le palais d'été fut ouvert au public en 1925.

Le domaine de 280 ha du palais d'été est dominé par le **lac Kunming**, qui est lui-même subdivisé en un lac occidental et un lac méridional par plusieurs digues. **La Colline de la Longévité** se dresse au-dessus de la rive nord. Derrière ses sommets, une version des lacs de l'arrière de Pékin fut créée lors de la dynastie Qing. Les plus belles promenades se trouvent le long de la rive septentrionale du lac Kunming, où les pavillons et les cours sont reliés par le **Long Couloir** (Chang Lang). Cette promenade couverte s'étend sur 777 m des Salles orientales jusqu'au Bateau de marbre. Construit pour la première fois en 1750, ce couloir est constitué de 273 sections de poutres transversales et de 4 pavillons. Toutes les parties visibles des poutres, panneaux ou piliers sont décorées de scènes peintes, extraites des mythes, de la littérature, de l'histoire ou de la géographie de Chine. On compte en tout 10 000 panneaux peints de couleurs vives.

Quatre édifices impériaux, parmi ceux qui se trouvent à l'est du Long Couloir, méritent d'être vus. Dans la Salle de la Longévité bienveillante (Renshou Dian), l'impératrice Cixi recevait les membres de la cour assise sur son trône en forme de dragon (encore sur place). C'est dans la Salle des Vaguelettes de jade (Yulan Dian) qu'elle avait confiné son neveu, l'empereur Guangxu, pendant qu'elle gouvernait à sa place. Enfin, la Salle pour développer le

Le Bateau de marbre témoigne du penchant excessif des Qing pour le luxe à tout prix.

bonheur (Yile Dian), adjacente au théâtre de trois étages qui fut construit pour son soixantième anniversaire, servait de loge privée à l'impératrice. L'impératrice Cixi, qui appréciait particulièrement les spectacles de théâtre dans lesquels elle jouait quelquefois un rôle, célébra nombre de ses anniversaires au palais d'été. Ce théâtre abrite aujourd'hui certaines de ses tenues impériales, ses bijoux et ses cosmétiques, ainsi que la Mercedes Benz qui aurait été la première voiture particulière de Chine. Le Long Couloir commence à hauteur d'un quatrième édifice Qing, la Salle du Bonheur et de la Longévité où dormait l'impératrice. Le lit fermé par des rideaux, les lampes et la plupart du mobilier sont d'époque.

A mi-chemin du Long Couloir, au pied de la Colline de la Longévité, vous verrez la Salle pour dissiper les nuages (Pai Yun Dian), où Cixi célébrait ses anniversaires et qui abrite aujourd'hui la collection de ses cadeaux, notamment un portrait de l'impératrice peint par le Hollandais Hubert Vos à l'occasion de son 70e anniversaire, en 1905. Le Long Couloir se termine au Pavillon pour écouter les oriolidés (Tingli Guan), qui abrite aujourd'hui un restaurant servant des plats impériaux de la dynastie Qing.

Ensuite, vous arriverez au monument le plus célèbre (ou notoire) du palais d'été, le **Bateau de marbre**, dont le nom officiel est Bateau de la Pureté et de l'Aisance. Les habitants de Pékin le surnomment le «bateau des fous». Construit de matériaux coûteux (pierre et verre teintés) par l'impératrice Cixi en 1893, ce bateau-statue de 36 m aurait été restauré avec des fonds destinés à renforcer la marine chinoise affaiblie, quelque temps avant que le Japon n'humilie complètement la Chine au cours d'une bataille navale. L'impératrice Cixi fut ensuite accusée, du fait de ses habitudes dispendieuses et égoïstes et de son ascension machiavélique du statut de concubine à celui d'impératrice, d'avoir affaibli la Chine et provoqué la chute de la dernière dynastie.

Si les experts doutent que l'impératrice Cixi ait, à elle seule, joué ce sinistre rôle, son palais d'été est d'un luxe suffisant pour avoir été à l'origine de nombreuses légendes de grandeur et décadence.

Le site de **l'ancien Palais d'été** (Yuan Ming Yuan) n'est pas loin de l'actuel palais d'été. Lorsque l'empereur Kangxi fit bâtir ce parc impérial au XVIIIᵉ siècle, il n'avait pas d'équivalent. Mais, après avoir été démoli par les troupes françaises et britanniques en 1860, il fut laissé à l'abandon et l'attention de la cour se porta sur la restauration du nouveau palais d'été. Il n'en reste aujourd'hui que des ruines qui comptent parmi les plus marquantes de Chine, notamment la partie connue sous le nom de

Le Parc des Collines parfumés: l'histoire et la nature s'y réunissent en harmonie.

Jardin de l'éternel printemps (Changchun Yuan), dans lequel les salles de style européen, les fontaines de marbre, les labyrinthes et le pupitre d'orchestre forment un amas de colonnes et d'arches sculptées. Il est régulièrement annoncé que l'ancien palais d'été va être restauré mais, en attendant, c'est un endroit agréable pour pique-niquer au milieu des ruines de l'empire.

Les collines occidentales

Lorsque les dirigeants chinois tenaient vraiment à fuir la chaleur de la ville, ils allaient au-delà du palais d'été, dans les **collines occidentales** (Xi Shan), désignées aujourd'hui sous l'appellation romantique de **Parc des Collines parfumées** (Xiangshan Gongyuan). Les premières villas impériales construites sur ces collines (à 27 km de Pékin) remontent à plus de 800 ans. C'est toutefois l'empereur Qing, Qianlong, qui fit des collines occidentales une villégiature impériale officielle avec ses temples, ses lacs et ses jardins et même son zoo.

Il reste deux temples célèbres sur les collines occidentales. Près de l'entrée nord du parc, vous verrez les quatre grandes salles du **Temple du Bouddha couché** (Wo Fo Si). La dernière salle (Wo Fo Dian) abrite une statue laquée, d'une longueur de 5 m, représentant le Bouddha couché en passe d'atteindre le nirvana (datant de 1321).

A l'intérieur du parc, au delà de la porte nord, l'ensemble plus vaste du **Temple des Nuages bleutés** (Biyun Si) s'étage à flanc de collines. Le corps de Sun Yat-sen, fondateur de la République de Chine, reposait ici avant son transfert à Nankin; ses chapeau, manteau et cercueil s'y trouvent encore. La **Salle des Luohans** est tout aussi fascinante. Les *luohans* sont des disciples du Bouddha qui, ayant atteint l'éveil, ont décidé de rester sur terre (dans le samsara) afin d'aider les autres à trouver la voie. Les 500 luohans représentés ici montrent des visages qui vont de l'extase au courroux, du banal à l'irréel. L'ensemble du temple est dominé par la Pagode au Trône de diamant (Jinggang Baozuo Ta), construite en 1748. Cet édifice de style indien se compose de quatre pagodes et de deux stoupas entourant une pagode blanche de 35 m.

Le site le plus populaire des collines occidentales est un sommet naturel appelé le **Pic de l'encensoir** (Xiang Lu Feng), en raison du brouillard qui vient souvent envelopper le sommet. Un petit chemin, surnommé Gui Jian Chou («même le diable est terrifié»), serpente jusqu'au sommet à 557 m d'altitude, il y a aussi un télésiège (20 min aller et 20 min retour). Là vous trouverez des pavillons, des vendeurs et des petits sentiers qui s'enfoncent dans les bois voisins. Vous pourrez également admirer la vue panoramique sur les lacs, temples, pavillons et pagodes en contrebas, que vous pourrez explorer en descendant. Par temps clair, on a envie de s'attarder. La vue qui domine les pavillons du palais d'été et les gratte-ciel du centre de Pékin est impériale.

Le «Harvard» de la Chine

La plus grande institution d'enseignement supérieur de Chine, l'Université de Pékin, est située dans le voisinage du palais d'été. Depuis plus d'un siècle, on y nourrit les meilleurs intellectuels et théoriciens politiques chinois, ainsi que les mouvements étudiants de protestation qui ont changé le cours de la nation.

Fondée en 1898, l'Université impériale fut rebaptisée Université de Pékin en 1911 après la chute de la dynastie Qing. Mao Zedong y travaillait comme assistant bibliothécaire en 1918. En 1953, alors que Mao était devenu le chef suprême du pays, l'université fut déplacée sur ce campus, car les lacs et les pavillons aux toits de tuiles pouvaient servir de modèle aux lavis à l'encre de jardins classiques.

Toutefois, les étudiants de l'Université de Pékin ont rarement été considérés comme des mandarins passifs ou des confucéens oisifs et privilégiés, amoureux de la Chine du passé. Ils témoignèrent de leurs idées progressistes en 1919, lorsqu'ils descendirent sur la place Tian'anmen pour protester contre les traités imposés par les puissances occidentales et contre la corruption qui affaiblissait la Chine. Les étudiants retournèrent place Tian'anmen en 1976 pour une dénonciation implicite de la politique menée par Mao et ses fidèles. Et, en 1989, les étudiants de l'Université de Pékin prirent l'initiative de l'occupation de la place Tian'anmen en demandant plus de libertés économiques et politiques.

Aujourd'hui, l'Université de Pékin n'est le foyer d'aucun désaccord. La nouvelle bibliothèque (US$1 2 million) marque le début d'une rénovation comprenant des dizaines de projets qui transformeront le campus. En outre, les étudiants de cet «Harvard chinois» semblent désormais plus enclins à poursuivre des carrières dans les affaires qu'à organiser la contestation politique.

☞ Le Temple du Nuage blanc

L'ensemble taoïste le plus actif de Pékin, Bai Yun Guan, est plus connu sous le nom de **Temple du Nuage blanc**. Sous son nuage d'encens, c'est le site de la capitale le plus propice à la superstition, au mystère et à un culte animé. Le taoïsme, religion d'origine chinoise, diffère du bouddhisme (importé d'Inde), non seulement dans l'architecture de ses temples et dans l'art de sa statuaire (quoique les styles soient souvent semblables), mais aussi dans ses pratiques et ses croyances. Le taoïsme met l'accent sur la nature, l'individu et la Voie, mais ses rites reposent sur un vaste panthéon de dieux, de déesses et de symboles surnaturels promettant des miracles.

La première cour de Baiyunguan représente le «pont qui retient le vent», et les visiteurs sont invités à assurer leur chance en frappant une cloche de cuivre du XVIIe siècle avec des pièces de monnaie. Dans la Salle du Printemps pour l'Empereur de jade, les fidèles touchent les pieds dorés des statues qui représentent les dieux de la richesse. Divers sanctuaires permettent aux fidèles de s'adresser aux dieux dont ils ont besoin pour soigner leurs yeux, s'assurer la naissance d'un fils, réussir leurs examens, trouver un bon travail ou accroître leur durée de vie. Ses salles de «vœux» sont généralement bondées de locaux qui revêtent leurs plus beaux atours pour cette visite. Les festivals qui se déroulent lors du premier et du quinzième jour du mois lunaire promettent une visite animée. Au fond du

Le Temple Baiyuguan, le principal lieu de culte taoïste de Pékin.

complexe, vous trouverez un vaste jardin de pierre, une cour et des salles de classe où les novices apprennent le taoïsme.

Baiyunguan fut fondé en 739 et reçut son présent nom en 1394. La plupart des salles datent de la dynastie Qing, bien que la salle Yuanchen, où les visiteurs s'efforcent de situer la déité de leur jour de naissance sur le zodiaque, date de l'époque de Koubilay Khan. Au sud de ce temple, vous verrez Tianning Si Ta, le Temple de la Pagode de la Tranquillité céleste, édifié pendant la dynastie Liao (907–1125), soit le plus ancien édifice de Pékin encore debout. La tour de 13 étages, qui s'élève à 58 m de haut, est sculptée de jolis motifs bouddhiques.

Le Temple de la Pagode blanche

Entièrement rénové et agrandi en 1998, le **Temple de la Pagode blanche** (Bai Ta Si) est réputé pour sa pagode de style tibétain (que l'on appelle généralement *dagoba* ou stoupa). La pagode blanche de ce temple est plus vaste que celle, plus célèbre, qui se trouve dans le parc Beihai. C'est en fait la plus grande pagode de ce type de toute la Chine. Elle fut construite en 1279, sous le règne de Koubilay Khan.

La porte principale du Temple de la pagode blanche (située sur le côté nord de Fuchingmennei Dajie), la première cour et le musée sont nouveaux. Le musée abrite de nombreux objets et statues bouddhiques découverts dans le temple, ainsi qu'un *sutra* copié de la main de l'empereur Qianlong. Ce rare manuscrit exhumé en 1978, fut composé par l'empereur en 1753. Au-delà du musée, vers le nord, vous trouverez trois salles de prières joliment restaurées. La Salle de ceux qui ont atteint le parfait éveil abrite des milliers de petites représentations du Bouddha. La pagode blanche, s'élevant à 51 m, est le dernier édifice et, comme la plupart des *dagobas,* est scellée, ses trésors sacrés et ses reliques sont cachés dessous ou à l'intérieur de cet édifice imposant.

Temples, églises et mosquées de Pékin

Temple de la Grande Cloche (Da Zhong Si). *31A Beisanhuan Xi Lu, District de Haidian.* Ouvert de 8h30 à 16h30, tous les jours. Entrée: 10 yuan.

Temple de Confucius (Kong Miao). *13 Guozijian Jie, District de Dongcheng.* Ouvert de 9h à 17h, tous les jours, sauf le lundi. Entrée: 10 yuan.

Temple des Cinq Pagodes (Wu Ta Si). *24 Wutasicun, District de Haidian.* Ouvert de 8h30 à 16h, tous les jours. Entrée: 3 yuan.

Temple de Huifeng (Huifeng Si). *Deuxième Route circulaire-nord, Lac Xihai, District de Xicheng.* Ouvert de 8h à 20h, tous les jours. Entrée: 50 jiao.

Temple des Lamas (Yong He Gong). *12 Yonghegong Dajie, District de Dongcheng.* Ouvert de 9h à 16h, tous les jours sauf le lundi. Entrée: 15 yuan.

Mosquée de la rue du Bœuf (Niu Jie Qingzhen Shi). *88 Niu Jie, District de Xuanwu.* Ouverte de 9h au coucher du soleil, tous les jours. Entrée: 10 yuan.

Eglise du Sud («Eglise de Marie»: Nan Tang). *141 Qianmenxi Dajie, District de Xuanwu.* Services en semaine à 6h (latin), 7h (chinois); le samedi à 6h30 (latin); le dimanche à 6h (latin), 7h (latin), 8h (chinois) et 10h (anglais).

Temple des Nuages bleutés (Biyun Si). *Parc des Collines parfumées, District de Haidian.* Ouvert de 7h30 à 16h30, tous les jours. Entrée: 10 yuan.

Temple du Bouddha couché (Wo Fo Si). *Au nord-est du Parc des Collines parfumées, District de Haidian.* Ouvert de 8h à 17h, tous les jours. Entrée: 2 yuan.

Temple de la Source de loi (Fayuan Si). *7 Fayuan Si Qianjie, District de Xuanwu.* Ouvert de 8h30 à 11h et de 13h30 à 16h, tous les jours, sauf le mercredi. Entrée: 10 yuan.

Temple taoïste du Nuage blanc (Bai Yun Guan). *6 Baiyunguan, District de Xuanwu.* Ouvert de 8h30 à 16h30, tous les jours. Entrée: 8 yuan.

Temple du Dagoba blanc (Bai Ta Si). *Fuchingmennei Dajie, District de Xicheng.* Ouvert de 9h à 17h, tous les jours. Entrée: 10 yuan.

Le Temple des Cinq Pagodes

Situé au nord du zoo de Pékin, de l'autre côté de la rivière Nanchang, le **Temple des Cinq Pagodes** (Wu Ta Si) compte parmi les plus beaux sites de Pékin. Son pavillon principal est formé d'un édifice carré en pierre qui se dresse à une hauteur de 71,5 m (ses murs extérieurs sont décorés de milliers de niches abritant chacune une représentation du Bouddha). Le pavillon est coiffé d'un ensemble complexe de cinq pagodes dont chacune abrite un escalier menant sur le toit. Cet édifice à cinq pagodes est de style plus indien que chinois. Il fut construit en 1473, au début de la dynastie Ming.

Le temple faisait à l'origine partie d'un ensemble plus large, le Temple de Zhengjue (construit sous le règne de l'empereur Ming Yongle dans les années 1420 et détruit par les troupes occidentales en 1860 et en 1900). Sur le même domaine, le **Musée des Pierres sculptées de Pékin** est une exposition de plein air qui présente plus de 500 anciennes pierres et piliers sculptés.

Le Temple de la Grande cloche

Le **Temple de la Grande Cloche** (Da Zhong Si) fut baptisé ainsi en 1743, lorsqu'il fut doté de la plus grande cloche de bronze de Chine. Cette énorme cloche, qui pèse 34 000 kg et mesure 7 m de haut, fut coulée en 1420, alors que la Cité interdite venait d'être terminée. Elle est exposée dans son propre pavillon à l'arrière du Temple. Les locaux montent au sommet de la cloche et glissent des pièces dans une fente, un rituel qui est censé porter chance et que les milliers de pèlerins ont toujours observé.

Depuis le début des années 1980, le Temple de la Grande Cloche sert de Musée des cloches et possède une collection de plus de 700 pièces. Certaines sont modernes et ont été coulées pour commémorer des événements récents, d'autres viennent de l'étranger, mais la plupart sont des antiquités chinoises. Parmi les pièces exposées dans les diverses salles, certaines sont âgées

S'il n'est plus un lieu de culte, le Temple Wanshou reste un lieu sacré et abrite le Musée d'Art de Pékin.

de 4000 ans. Pour un prix modique, les visiteurs ont la possibilité de faire tinter des clochettes de pierre qui datent de la période des «trois royaumes» (475–221 av. J.-C).

Le Musée d'Art de Pékin

Le **Musée d'Art de Pékin** (Zhongguo Meishuguan) est un temple doublé d'un musée puisqu'il est situé dans le **Temple de Wanshou**, le Temple de la Longévité. Si le temple, rénové en 1761 par l'empereur Qianlong, n'est plus en activité, il contient toutefois de nombreux édifices anciens, notamment, dans sa première cour, une Tour de la Cloche et une Tour du Tambour qui datent de 1577. L'impératrice Cixi avait l'habitude de s'y arrêter pour la nuit au cours de son voyage dans la barge royale qui la menait de la Cité interdite au palais d'été. La grande salle de méditation au centre de l'ensemble de bâtiments est aujourd'hui une galerie d'art qui abrite des peintures chinoises modernes.

A l'arrière du Temple de Wanshou, vous trouverez un vaste jardin de pierre, agrémenté d'autels consacrés aux trois montagnes sacrées du bouddhisme en Chine, deux pavillons construits en 1761 (l'un d'eux abritant une tablette de pierre gravée de la signature de l'empereur Qianlong), et deux portes monumentales construites dans le style du XVIIIe siècle européen.

Le Zoo de Pékin

Le **Zoo de Pékin** (Beijing Dongwu Yuan) fut créé par l'impératrice Cixi, qui convertit en 1908 ce domaine paysager privé de la dynastie Ming en une réserve de 700 animaux exotiques importés d'Allemagne. Les portes d'entrée datent de la fin de la dynastie Qing et de nombreuses salles d'exposition semblent remonter à la même époque. Même les enclos extérieurs sont plutôt vétustes. Ce zoo qui compte quelque 6000 animaux est le plus grand de Chine, mais malgré sa belle collection de pandas géants, de tigres de Sibérie, de singes dorés et de grues à crête rouge, l'établissement a cruellement besoin d'être modernisé. Les visiteurs étrangers sont rarement heureux de voir l'état et la taille des cages. Le nouveau Jardin des pandas, qui abrite une douzaine de pandas adultes et de jeunes jumeaux, est toutefois un peu plus spacieux et constitue un pas dans la bonne direction. Les fonds récemment alloués au zoo ont servi à la création de l'aquarium de Pékin, un parc marin voisin complètement moderne qui possède 50 000 espèces aquatiques.

EXCURSIONS

La Grande Muraille est le site le plus fréquenté de Chine. En partant de Pékin, vous pouvez visiter plusieurs fragments de ce célèbre mur. Les deux grands cimetières impériaux sont moins visités (et moins bondés): les Tombeaux des Ming et les Tombeaux des Qing orientaux. Deux autres excursions au départ de Pékin vous mèneront au Musée de l'Homme de Pékin (Sinanthrope) à Zhoudian, et à la villégiature impériale ainsi qu'aux temples de Chengde.

☞ La Grande Muraille

La construction de la Grande Muraille, longue de plus de 10 000 km, commença au Ve siècle av. J.-C. Toutefois, ce que l'on appelle aujourd'hui la **Grande Muraille** (Wanli Chang Cheng) se limite à quelques fragments magnifiquement restaurés près de Pékin qui furent construits, agrandis et fortifiés à nouveau pendant la dynastie Ming (1368–1644 de notre ère). Les bâtisseurs Ming furent les premiers à renforcer ces imposantes fortifications de terre avec de la brique. Ils construisirent la partie de la Muraille qui s'étend sur 630 km au nord de Pékin comme une retenue massive équipée d'un système de prévention contre les invasions du nord. Ce stratagème échoua, car les Mandchous réussirent à passer et renversèrent les Ming. Ils s'emparèrent de Pékin et établirent la dynastie Qing en 1644, la dernière dynastie impériale chinoise.

Les quatre sites au nord de Pékin abritent les meilleurs fragments de la Grande Muraille: Badaling, Mutianyu, Simatai et Juyongguan. Ces quatre segments ont été soigneusement restaurés, à l'exception de Simatai, qui se présente tel qu'il était au début de la dynastie Ming.

Une fois que l'on est sur la Muraille elle-même, hors du champ des vendeurs, autocars, parkings et téléphériques, la sensation est assez authentique et il est toujours possible de s'éloigner des flots de touristes. Les visiteurs sont en général surpris par les escaliers pentus aux marches incertaines et les chemins précaires qui épousent un terrain difficile. Le tracé de la Muraille s'adapte à un relief accidenté qui rebute de nombreux touristes. Toutefois, la vue qui s'étale au pied de ce «dragon de pierre» rendra votre périple inoubliable.

Soigneusement restaurée en 1957, la Grande Muraille à **Badaling**, à 67 km au nord-ouest de Pékin, est le segment le plus fréquenté. A cet endroit, la montagne est magnifique et la Muraille monte et descend suivant des pentes escarpées. Ces fortifications de la dynastie Ming, qui s'élèvent à environ 7 m de hauteur sur 5 m de large, sont construites en terre battue renforcée de pierres et de briques. Les tours d'observation de pierre et de brique se dressent à intervalles réguliers. Il est possible de prendre l'escalier de la partie rénovée sur 2 km environ avant d'atteindre les pans effondrés de la construction d'origine. Au point le plus au nord, un téléphérique descend du haut de la Muraille jusqu'au parking en contrebas. Les parkings au pied du mur regorgent de vendeurs, de boutiques, de restaurants et d'autres équipements modernes, y compris un cinéma et un fast-food américain (KFC).

Badaling est bondé, notamment de juin à septembre, mais n'en est pas moins superbe. Le deuxième point le plus visité et tout aussi beau est **Mutianyu**, à 88 km au nord-est de Pékin. Mutianyu fut ouvert aux touristes en 1986 pour désengorger Badaling. Vous y trouverez également un téléphérique qui permet d'éviter de grimper pendant 20 min pour atteindre le sommet de la Muraille, ainsi que des vendeurs, des cafés et des boutiques. On peut marcher pendant un kilomètre environ, en haut des remparts, allant d'une tour de guet à l'autre. Une fois au bout, il est plaisant de laisser courir son regard le long des ruines de la Muraille qui s'étend à perte de vue.

Parcs et sites

Zoo de Pékin. *Xizhimenwai Dajie, District de Xicheng.* Ouvert de 7h à 17h30 tous les jours. Entrée: 10 yuan (adultes), 3 yuan (enfants).

Palais de l'Assemblée du peuple. *A l'ouest de la place Tian'anmen, District de Chongwen.* Ouvert de 8h30 à 14h, tous les jours sauf pendant la session parlementaire. Entrée: 35 yuan.

Parc du Temple du Ciel. *Qianmen Dajie, District de Chongwen.* Ouvert de 5h à 17h30, tous les jours (jusqu'à 21h30 en été). Entrée: 30 yuan.

La section de la Grande Muraille de **Juyongguan**, à 58 km au nord-ouest de Pékin, sur la route de Badaling, n'a été ouverte aux touristes qu'en 1998. C'est également la plus proche de la capitale. Vous y verrez une imposante tour de garde qui marque l'un des passages de col les plus célèbres de la Grande Muraille. Cette tour de garde, construite en 1345, est ornée de sculptures bouddhiques portant des inscriptions en chinois, en tibétain, en sanscrit et en diverses langues des tribus du nord. On peut se promener sur la Muraille pendant environ 4 km alors qu'elle épouse les sommets des monts Taihang.

La section la moins restaurée et la moins visitée de la Grande Muraille des environs de Pékin se trouve à **Simatai**, à 124 km au nord-est de la capitale. C'est d'une part assez loin de Pékin et d'autre part peu construit et peu peuplé. Ici, les escaliers ressemblent à ces ruines que l'on aperçoit au loin depuis Badaling, Mutianyu et Juyongguan. Le paysage est en lui-même assez spectaculaire et les ruines de la Muraille ajoutent une touche romantique à Simatai (il y a toutefois un téléphérique qui monte au sommet). C'est également plus dangereux, les escaliers effondrés par endroit montent sur une pente à 70 degrés et certaines portions sont si délabrées qu'il faut marcher sur l'extérieur de la Muraille, sur d'étroits sentiers escarpés qui ne sont pas faciles.

En partant du village au pied de Simatai, un chemin de gravier d'un kilomètre à peine mène au premier escalier en contournant le petit réservoir de Simatai. Celui-ci sépare la section de la Muraille de Simatai d'une autre section appelée Jinshanling, où peuvent s'aventurer les randonneurs chevronnés. La portion de Simatai se constitue de 14 tours de guet, situées à 400 m d'intervalle qui, à la vue de l'ennemi, transmettaient des signaux de feu et de fumée, d'une tour à l'autre, à l'armée chinoise cantonnée plus bas. La tour la plus haute (appelée Wangjinglou) se dresse à 986 m de hauteur et offre une vue splendide qui s'étend au sud-ouest jusqu'à Pékin. Les habitants du cru prétendent que par nuit claire, on distingue les lumières de la ville.

Le dernier segment restauré de la Muraille à Simatai: une atmosphère surnaturelle.

Les Tombeaux des Ming

La vallée des **Tombeaux des Ming**, à 50 km au nord-ouest de Pékin, est la dernière demeure de 13 des 16 empereurs Ming ayant régné sur la Chine. Les cours et les pavillons élaborés, semblables à ceux de la Cité interdite, coiffent un palais funéraire où l'empereur est enterré avec son impératrice et ses concubines, ainsi que certains trésors choisis de son règne.

La Voie des Esprits (Shen Dao), longue de 6,5 km est l'entrée de cimetière la plus célèbre de Chine et une introduction grandiose à la vallée. Elle est ornée de portes monumentales en arche et bordée d'animaux en pierre (12 paires, y compris des lions et des éléphants) et de statues de fonctionnaires d'Etat (6 paires), qui datent de 1435. Après la Porte du Dragon phénix (Long Feng Men), vous arriverez aux tombeaux, dont

Les Tombeaux des Ming témoignent de la grande pompe impériale.

trois ont été restaurés et sont ouverts aux visiteurs.

Le Tombeau de l'empereur Yongle (Chang Ling) est le plus vaste, mais son palais souterrain où sont enterrés l'empereur et l'impératrice n'est pas ouvert au public. Les 16 voûtes annexes où reposent ses concubines ne sont pas ouvertes non plus. Cependant les cours et les imposants pavillons qui surplombent les chambres funéraires de Yongle ont été restaurées et abritent certains trésors exhumés des tombeaux des Ming, notamment une armure impériale.

Le palais funéraire de l'empereur Wanli (Ding Ling) rend hommage au 13e empereur Ming qui régna de 1573 à 1620. Ses voûtes souterraines, d'une profondeur de 27 m, sont en marbre et couvrent une superficie de 1200 m². Son trône de marbre blanc, sa couronne dorée et son cercueil rouge (ainsi que les cercueils de sa femme et de sa première concubine) sont encore dans le tombeau. Le tombeau de Zhao Ling est également ouvert, mais bien moins impressionnant.

Les Tombeaux des Ming faisaient autrefois partie des excursions organisées pour la Grande Muraille à Badaling, mais les touristes étrangers ont montré peu d'intérêt pour ce site qu'ils trouvaient mal restauré, humide et confiné. Les Tombeaux des Qing orientaux sont plus intéressants, bien qu'ils soient situés à une plus grande distance de Pékin.

Les Tombeaux des Qing orientaux

La visite des **Tombeaux des Qing orientaux** (Dong Qing Ling), quasiment aussi vastes et monumentaux que la Cité interdite et situés à 125 km au nord-est de Pékin, constitue une excursion considérable. Il faut passer par des routes de campagne qui traversent des paysages spectaculaires, mais ralentissent considérablement le voyage. L'empereur Sun Zhi (1644–1911), fondateur de la dynastie Qing, choisit ce lieu reculé dans une large vallée de montagnes lors d'une expédition de chasse. C'est le plus grand cimetière impérial de Chine et les tombeaux de 5 empereurs, de 15 impératrices et

Depuis 1997, il est interdit de fumer dans les transports publics et tous les lieux publics où c'est indiqué. Les contrevenants s'exposent à des amendes immédiates.

de plus d'une centaine de membres de la cour Qing y sont rassemblés. Trois des dirigeants chinois les plus célèbres y sont enterrés, notamment l'empereur Qianlong (1711–1799), l'empereur Kangxi (1654–1722), et la fameuse impératrice Cixi (1835–1908).

On pénètre sur le site des Tombeaux des Qing orientaux, comme sur celui des Tombeaux des Ming, par une longue Voie sacrée, bordée de 18 paires d'animaux de pierre et de fonctionnaires impériaux. Le plus vieux tombeau (Xiao Ling) est celui du fondateur de la dynastie Qing, Sun Zhi. Il n'est pas ouvert, mais on peut visiter les 28 pavillons et salles qui le surplombent. Le tombeau de l'empereur Kangxi (Jing Ling) n'est pas ouvert non plus, mais les parties supérieures abritent de nombreux trésors impériaux, notamment le trône en forme de dragon de Kangxi. On peut visiter le tombeau de l'empereur Qianlong (Yu Ling), situé à 54 m sous terre. Il est constitué de 9 voûtes immenses et des cercueils de marbre de l'empereur mandchou et de ses cinq compagnes favorites.

Le tombeau le plus somptueux est celui de l'impératrice Cixi. Au-dessus de son palais souterrain, à l'intérieur d'une salle de sacrifice, dans un musée de cire, on peut voir Cixi dans toute sa splendeur, représentée comme la déesse de la compassion (sa déité bouddhiste préférée). Son palais souterrain abrite son double cercueil d'or et de laque. Malheureusement, le cercueil fut profané en 1928 par un «seigneur de la guerre» qui s'empara également du trésor, notamment de 25 000 perles et d'un linceul brodé de perles rares. Toutefois, de nombreux trésors ont été préservés et sont maintenant exposés dans les galeries qui surplombent son tombeau.

Le Musée de l'Homme de Pékin (Sinanthrope)

Le **Musée de l'Homme de Pékin (Sinanthrope)** est situé à 50 km au sud-ouest de Pékin dans le village de Zhoukoudian, emblématique de la paléontologie chinoise. C'est dans les collines et les grottes de Zhoukoudian que les archéologues ont découvert un crâne permettant d'établir un nouveau maillon de la chaîne humaine, *Homo erectus pekinensis,* l'Homme de Pékin (sinanthrope). Cette découverte de 1929 suggère que l'ancêtre le plus proche de l'homme aurait vécu en Asie autant qu'en Afrique. Les fouilles ont continué sur ce site jusqu'en 1937, date à laquelle la plupart des fossiles furent à jamais emportés par les étrangers loin de la Chine déchirée par la guerre.

La grotte de la Colline de l'os du dragon, où vécut le sinanthrope il y a plus de 690 000 ans, porte les traces d'une communauté composée d'une quarantaine d'individus. Les grottes voisines contiennent des fossiles et des objets de villages du néolithique supérieur (de 20 000 à 50 000 ans). Ces grottes peuvent être visitées et leurs trésors sont exposés au Musée de l'Homme de Pékin (Sinanthrope). On y voit les moules des crânes manquants, une série d'outils en pierre, des ossements d'animaux préhistoriques, quelques fossiles humains et une statue moderne représentant l'Homme de Pékin (Sinanthrope).

Le Palais d'été de Chengde possède tout ce qu'un empereur pourrait désirer, y compris huit temples bouddhistes.

Chengde

Pour visiter la petite ville de **Chengde** (connue en Occident sous le nom de Jehol), située à 250 km au nord-est de Pékin, il est préférable d'y passer la nuit (si vous êtes basé à Pékin). Cette excursion intéressera tous ceux qui souhaitent voir les vestiges monumentaux de la dynastie Qing, ainsi que les temples bouddhistes les plus impressionnants. Chengde devint une villégiature des empereurs Qing qui construisirent une ville impériale digne de la Cité interdite et du palais d'été de Pékin.

Les dirigeants Qing n'oublièrent jamais leurs origines nomades mandchoues et en 1703, l'empereur Kangxi aménagea cette vallée reculée en une cour d'été et un terrain de chasse. C'est ici que son petit-fils, Qianlong, reçut, en 1793, la première délégation occidentale en visite en Chine, une équipe britannique dirigée par Lord Macartney. Et c'est aussi ici que celui-ci refusa de *kow-tow* (s'incliner) devant l'empereur, fermant ainsi la porte à tout espoir d'engager des rapports commerciaux pacifiques au XVIIIᵉ siècle.

Le Palais d'été de Chengde est aujourd'hui entouré par un mur de 9,5 km de long, à l'intérieur duquel se trouve le plus vaste jardin impérial encore visible en Chine. Parmi les palais et les salles qui ont survécu, on notera le Palais de devant, d'où les empereurs conduisaient les affaires de la cour, et neuf salles sur cour de style simple et rustique.

Au delà de ce groupe de salles et de résidences impériales, le large parc est agrémenté de lacs, de ponts, de pavillons, de volières, de prairies et de collines où la cour s'adonnait aux sports équestres. On y voit des copies des jardins chinois célèbres, ainsi que de petits temples et des pavillons à plusieurs niveaux pour admirer le paysage.

L'autre attrait de Chengde réside dans les temples construits dans les collines au-delà du parc. Parmi ces «huit temples de l'extérieur», certains ont un style tibétain très prononcé. Tous furent construits par l'empereur Qianlong entre 1713 et 1779. Le Temple de la Longévité et du Bonheur du mont Sumera (Xumifushou Miao) commémore la visite du Panchen Lama à Chengde en 1779. Cette copie de la résidence du Panchen Lama à Shigatse, au Tibet, est couronnée d'une pagode décorée de tuiles vertes et jaunes. Le petit Temple du Potala (Putuozongsheng Miao), construit en 1769, est plus vaste et plus somptueux, occupant 22 ha. Sa grande salle rouge évoque le palais du Potala à Lhasa, au Tibet, et les arcades abritent une magnifique statuaire bouddhique, comprenant notamment des représentations sensuelles liées au bouddhisme ésotérique de la secte des «bonnets rouges».

Au delà de ces temples-ci et de quelques autres, vous arriverez au Rocher du Marteau (Bangchui Shan), un imposant pic rocheux que l'on atteint en téléski ou par des pistes de randonnées. La vue qui s'étend au pied de cette tour naturelle sur la vallée, les temples et le parc impérial révèle la richesse de la dynastie Qing à son apogée. En 1820, cette villégiature impériale fut désertée après que l'empereur Jiaqing fut tué par la foudre. Moins d'un siècle plus tard, la dynastie elle-même fut détruite par les forces républicaines qui sonnèrent le glas de la Chine impériale.

Musées

Ancien Observatoire. *2 Dongbiaobei Hutong, District de Chaoyang.* Ouvert de 9h à 11h30 et de 13h à 16h30, tous les jours sauf le lundi et le mardi. Entrée: 10 yuan.

Musée d'Art de Pékin. *Temple In Wanshou, Xisanhuan Lu, District de Haidian.* Ouvert de 9h à 17h30, tous les jours sauf le lundi. Entrée: 10 yuan.

Galerie d'Art de Chine. *1 Wusi Dajie, District de Dongcheng.* Ouvert de 9h à 17h, tous les jours. Entrée: 15 yuan.

Tombeaux des Qing orientaux. *Malanyu, Comté de Zunhua, Province d'Heibei.* Ouvert tous les jours de 8h30 à 16h30. Entrée: 35 yuan.

Cité interdite. *Chang'an Jie, District de Dongcheng.* Ouvert de 8h30 à 17h, tous les jours. Entrée: 30–55 yuan.

Mausolée de Mao Zedong. *Place Tian'anmen, District de Chongwen.* Ouvert de 8h30 à 11h30 (de 14h à 16h les lundi et mercredi); fermé le dimanche. Entrée gratuite.

Tombeaux des Ming. *Comté de Changping.* Ouvert de 8h à 17h30, tous les jours. Entrée: 16 yuan.

Musée de l'Histoire chinoise. *A l'est de la place Tian'anmen, District de Chongwen.* Ouvert de 8h30 à 15h30, tous les jours sauf le lundi. Entrée: 5 yuan.

Musée de la Révolution chinoise. *A l'est de la place Tian'anmen, District de Chongwen.* Ouvert de 8h30 à 17h, tous les jours sauf le lundi. Entrée: 2 yuan.

Musée d'Histoire naturelle. *126 Tianqiaonan Dajie, District de Chongwen.* Ouvert de 8h30 à 17h, tous les jours sauf le lundi. Entrée: 20 yuan.

Musée de l'Homme de Pékin (Sinanthrope). *Village de Zhoukoudian, District de Fangshan.* Ouvert de 8h30 à 16h30, tous les jours. Entrée: 20 yuan.

Villa du prince Gong. *17 Qianhai Xi Lu, District de Xicheng.* Ouvert de 9h à 17h, tous les jours. Entrée: 5 yuan.

Porte Qianmen. *Pointe sud de la place Tian'anmen, District de Chongwen.* Ouvert de 8h au coucher du soleil, tous les jours. Entrée gratuite.

Résidence de Soong Ching-ling. *46 Houhai Beiyan, District de Xicheng.* Ouvert de 9h à 16h30, tous les jours. Entrée: 8 yuan.

QUE FAIRE

Pékin qui était autrefois une capitale endormie où il y avait peu à faire en dehors des visites de monuments la journée s'est, depuis la mort de Mao, considérablement ouvert sur le monde extérieur. La vie commerçante et nocturne s'est animée ces dernières années et Pékin est en passe de devenir une capitale internationale moderne qui garde toutefois sa spécificité chinoise.

LES ACHATS

Vous trouverez à Pékin les meilleurs prix sur les produits fabriqués en Chine, ainsi qu'un choix important d'arts populaires et d'artisanat à très bons prix. La capitale est réputée pour offrir un grand choix de soieries, des vêtements, des broderies, des perles, du jade, des porcelaines, de l'émail cloisonné, des laques, des tapis, des meubles, des antiquités et des œuvres d'art.

Les rues les plus fréquentées sont Wangfujing Dajie dans le centre, la rue de la culture Liulichang et Dazhalan au sud de la place Tian'anmen, et la rue Xidan à l'ouest du centre (la préférée des habitants). Ces trois avenues offrent de magnifiques lieux de promenades où il est agréable de faire du lèche-vitrines. La plupart des boutiques sont ouvertes tous les jours de 9h à 20h, quelquefois plus tard. Vous trouverez souvent quelqu'un qui parle quelques mots d'anglais parmi les employés. Les distributeurs de billets commencent à faire leur apparition dans la capitale, mais ne comptez pas en trouver un quand vous en aurez besoin (voir la rubrique ARGENT, page 104). Les magasins sont en général bondés le dimanche.

Un bon moyen d'évaluer les prix et les produits en vente dans Pékin (de l'artisanat et des souvenirs aux bijoux et tapis) est de visiter le plus grand magasin pour touristes, le *Friendship Store*, qui se trouve à l'est de la Cité interdite (17 Jianguomenwai Dajie).

Même si les petites boutiques, les grands magasins et les grands centres commerciaux ont des rayons bien fournis, c'est sur les marchés et les bazars de la ville que vous trouverez les meilleurs prix.

Les bonnes affaires

Les antiquités. Pékin regorge d'antiquités mais aussi de beaucoup de contrefaçons. Tout article produit entre 1795 et 1949 doit porter un sceau de cire rouge pour pouvoir être exporté. Les boutiques d'hôtels et le Friendship Store sont des fournisseurs fiables et disposent également d'un service de fret pour l'étranger. Les antiquaires de la rue de la culture Liulichang méritent une visite, ainsi que le marché de Panjiayuan du dimanche

Trésors cachés: les marchés regorgent de curieux objets à des prix souvent modiques.

matin (voir page 81). Les antiquités les plus populaires en vente dans Pékin sont les meubles, les porcelaines, les bijoux, les bois sculptés et les rouleaux des dynasties Qing et Ming.

L'art. Vous trouverez nombre de galeries d'art contemporain dans le quartier de Wangfujing et dans certains grands hôtels (notamment China World et Holiday Inn Crowne Plaza). Un bon nombre d'artistes de Pékin ont acquis une clientèle internationale. La plupart des galeries vendent également des reproductions de paysages classiques et traditionnels et des chefs-d'œuvre chinois.

Les arts populaires et l'artisanat. Les objets traditionnels chinois faits à la main, y compris les cerfs-volants et les éventails en papier, les théières en céramique, les bibelots en bambou, les objets en laque, les baguettes et les bracelets en émail cloisonné, sont vendus dans les grands magasins et par les vendeurs installés sur les sites touristiques. Ils sont en général très bon marché, notamment sur les étalages en plein air.

Les tapis. Les tapis chinois en laine ou en soie doivent être examinés de près. Les couleurs ne doivent pas passer et les fils doivent être fins et tissés serrés. Les tapis faits à la main dans les provinces orientales et au Tibet sont très appréciés à Pékin. Commencez vos achats au Friendship Store ou au Beijing Carpet Import and Export Corporation qui se trouve au 1er étage du Hong Kong Macao Center (troisième route circulaire-est).

Le cashmere. Les pull-overs en cashmere et autres articles en laine sont de plus en plus recherchés. Les grands magasins et les boutiques de vêtements des centres commerciaux disposent en général de toute une gamme de vêtements en laine et en cashmere aux tailles occidentales. Ils sont généralement bien fabriqués et à des prix bien plus bas qu'à l'étranger.

Les *chops* (sceaux). Toute personne de moindre rang disposait autrefois de son propre sceau, appelé un *chop,* qui se présentait généralement sous la forme d'une pierre de la taille de la paume de

En vous promenant dans les marchés de Pékin, vous trouverez bijoux, tapis, céramiques…et la liste est longue!

la main et que l'on trempait dans l'encre rouge. Ce tampon encré servait à la fois de signature officielle et de sceau. Les *chops* sont encore fréquemment utilisés en Chine. Les maîtres graveurs du Friendship Store, des marchés ou de quelques boutiques d'hôtels peuvent rapidement créer un chop personnalisé avec le nom que vous souhaitez en n'importe quelle langue, y compris en caractères chinois. C'est une bonne idée de cadeau original et peu coûteux.

Les objets de collection. Vous trouverez des objets à collectionner dans tous les marchés de plein air, sur les étals dans les rues ou dans les bazars. Les badges et les posters de Mao sont très recherchés. Vous trouverez à bon prix dans les rues des vieilles pièces chinoises, des statues bouddhiques, des bois sculptés et des assiettes peintes à la main, soyez toutefois prêt à marchander serré pendant longtemps.

Le jade. La pierre la plus précieuse de Chine est souvent difficile à évaluer. A moins d'être accompagné d'un expert, n'achetez que ce qui vous plaît à un prix abordable. Il existe du faux jade. La couleur, la transparence, la douceur de la pierre et la taille déterminent le prix. Faites-vous une idée des prix au Friendship Store.

Les perles. Elles sont traditionnellement associées à l'amour et l'on peut faire de bons achats à Pékin. Le 3e étage du Hongqiao Market (voir page 81) est devenu le plus gros vendeur de perles d'eau douce ou d'eau de mer de la capitale. Elles sont généralement vendues en grappe et les prix varient de 20 à 20 000 yuan.

Les soieries et les broderies. Ce «pays de la soie» propose un excellent choix de soieries et de vêtements en soie. Les grands magasins, le Friendship Store, quelques boutiques d'hôtels et les magasins spécialisés disposent d'une sélection de vêtements aux tailles occidentales. Nombre de ces détaillants offrent également un choix d'articles brodés bon marché, notamment des nappes et des draps. Essayez Yuanlong Embroidery and Silk Store, situé à l'entrée sud du Temple du Ciel ou Ruifuxiang Silk and Cotton Store sur Dazhalan, au coin de Qianmen Dajie.

Le thé. Le thé en paquets est généralement bon marché dans le pays à qui l'on doit cette boisson. Vous trouverez une bonne sélection de thé en vrac et d'ustensiles dans les petits marchands de thé des rues Wangfujing et Liulichang. Les détaillants de renom sont, notamment, Jiguge Teahouse au 132 Liulichang Dong Jie et Bichu Tea Shop au 233 Wangfujing Dajie.

Les centres commerciaux et les grands magasins

Le Friendship Store, sur l'est de l'avenue Chang'an, et le vieux Grand magasin Wangfujing (255 Wangfujing Dajie), qui étaient autrefois les meilleurs fournisseurs de produits à la mode, sont aujourd'hui dépassés par l'éclosion des grands centres commerciaux. Les boutiques d'allure internationale, les vêtements de marques, les magasins de spécialités, les fast-foods, les cafés, les supermarchés, les grands magasins et les cinémas (reliés entre eux par des mezzanines, des Escalators et des ascenseurs vitrés) se sont rassemblés dans des centres uniques à travers la capitale. Même si les prix y sont assez élevés pour la Chine et que la plupart des marchandises sont importées, les consommateurs avisés peuvent encore trouver quelques bonnes affaires dans les centres commerciaux de Pékin.

Le centre commercial le plus important de Pékin est le Sun Dong An Plaza (138 Wangfujing Dajie), qui s'étend sur six étages où l'on trouve aussi bien un supermarché chinois, des boutiques de soieries et de vêtements, que McDonald et London Fog. Le quartier commerçant de Xidan, à environ 2 km à l'ouest de la Cité interdite, a lancé la construction de deux importants centres commerciaux pour faire concurrence au Sun Dong An Plaza de la rue Wangfujing.

Le centre commercial Lufthansa You Yi sert la clientèle résidant dans les hôtels internationaux du nord-est de Pékin, sur la troisième route circulaire. Le centre commercial du China World

Au Friendship Store: ambiance internationale. Des lots d'articles importés et un personnel polyglotte.

Trade Center (1 Jianguomenwai Dajie) s'est agrandi de nouvelles boutiques et d'une patinoire. Vous y trouverez également un Internet café et le premier Starbucks de Chine. Enfin, pour ceux qui sont rassasiés de produits chinois, la galerie commerçante de l'hôtel Palace rassemble les plus grandes boutiques internationales de luxe de Chine.

Les marchés et les bazars

Les marchés de Pékin se constituent la plupart du temps de vendeurs alignés en rangées sur un espace en plein air. On y fait souvent de bonnes affaires mais le marchandage est de rigueur. Les vendeurs sont des experts et la langue ne gêne pas les négociations. Les acheteurs doivent s'armer de patience et faire attention. Il vaut mieux connaître d'avance les prix des marchandises (en regardant

Produits locaux: la Chine produit des soieries convoitées depuis de nombreux siècles.

d'abord dans les boutiques). Les prix du marché sont, en général, les plus bas, mais le prix de départ annoncé par le vendeur est toujours un peu plus élevé que ceux des boutiques.

Le marché de l'Allée de la soie (Xiushui Shichang), sur Jianguomenwai Dajie à quelques pâtés de maisons du Friendship Store, est le marché aux vêtements le plus réputé de Pékin. Les étals sont à touche touche dans les allées encombrées. Si les soieries deviennent rares sur ce marché, vous trouverez quantité de vêtements de sport de marque, de cravates et de bagages, si vous êtes prêt à jouer des coudes et à marchander. Le marché de Yabaolu (connu sous le nom de «marché russe»), installé à l'angle nord-ouest du parc Ritan, offre un bon choix d'articles en cuir et en laine.

Le marché du Lido, en face de l'hôtel Holiday Inn Lido, sur la route de l'aéroport, compte une centaine de stands (c'est un marché couvert) où l'on trouve les mêmes articles qu'au marché de l'Allée de la soie, souvent à de meilleurs prix.

Les autres marchés sont spécialisés par types de produits. Le marché aux puces de Chaowai, au nord du parc Ritan, est réputé pour les antiquités, les sculptures et le mobilier. Le marché de parchemins, dans le district de Xicheng à l'intérieur de la deuxième route circulaire-nord, propose des parchemins peints à la main, des chops et des poissons rouges. Un peu plus loin au nord, vous trouverez le marché aux oiseaux où l'on vend des oiseaux et des cages ornementées. Dans le district de Sanlitun, il y a un vaste marché de bambou et de rotin, ainsi qu'un marché de vêtements de sport, au milieu des bars et des cafés. Au marché Hongqiao (que l'on appelle également Marché Chongwenmen et Marché de fermiers), situé à la lisière nord-est du parc du Temple du Ciel (Tiantan), on peut faire de bonnes affaires sur les bijoux et surtout sur les perles.

Le marché d'antiquités et de curiosités de Panjiayuan (que l'on appelle souvent le «Marché de poussière», «Marché de fantômes» ou «Marché du dimanche») est sans doute celui qui promet la promenade la plus agréable. Situé tout à fait au sud du centre-ville, à l'intérieur de la troisième route circulaire, il attire chaque dimanche matin plus de 100 000 visiteurs qui viennent chiner parmi les antiquités, les objets à collectionner, les céramiques ou les armoires de famille.

> **Si vous payez plus de la moitié du prix de départ fixé par le vendeur, vous payez probablement trop.**

LES SPECTACLES

Des spectacles chinois traditionnels aux concerts de musique occidentale moderne, le calendrier des spectacles de Pékin est bien fourni, sans compter les représentations de l'Opéra de Pékin ou des meilleures troupes d'acrobates de Chine. Le concierge de votre hôtel ou le comptoir d'un tour opérateur vous fourniront les horaires et pourront réserver vos places. Vous pouvez également consulter le quotidien en langue anglaise, *China Daily,* ou les guides mensuels gratuits édités pour les étrangers tels que *Beijing This Month, Welcome To Beijing* et d'autres qui sont distribués dans les hôtels et les cafés. Vous y trouverez la liste des spectacles et des concerts. Vous découvrirez également à Pékin nombre de thé-théâtres où l'on peut voir des échantillons de spectacles traditionnels tout en prenant un en-cas ou en dînant. Enfin, la capitale compte de plus en plus de bars ouverts tard la nuit (souvent présentant des concerts de musique pop) et de boîtes de nuit qui accueillent favorablement les touristes étrangers.

L'opéra de Pékin et les acrobates

La forme de l'opéra de Pékin (Jing Ju) a peu varié depuis ses débuts sous la dynastie Qing, il y a 250 ans. Les costumes, la chorégraphie, les instruments et le chant, sous des formes spécifiquement chinoises, paraîtront sans doute étranges aux Occidentaux, mais ces éléments très stylisés appartiennent à une tradition très appréciée des habitants de Pékin. Les autres régions du pays ont leur propre style d'opéra, mais celui de Pékin est de loin le plus célèbre.

L'opéra chinois devient plus compréhensible et plus plaisant quand on connaît l'intrigue (il s'agit généralement d'un drame historique ou d'une histoire d'amour tragique) et quand on peut lire des sous-titres (en anglais) projetés sur un écran latéral. Il est aussi utile de savoir que les masques, les visages peints et les costumes servent à signaler le rôle social et le caractère de chaque personnage. La musique, avec ses gongs et ses cymbales, a pour objet de souligner l'action en cours.

Depuis la fermeture du séculaire théâtre Zhengyici (salle d'opéra depuis 1713), la meilleure salle où passer une soirée exotique à écouter un opéra dans le style de Pékin est au théâtre Liyuan dans l'hôtel Qianmen (175 Yong'an Lu). On y donne généralement trois ou quatre extraits d'opéras célèbres, accompagnés de sous-titres en anglais (et d'en-cas variés). Les autres salles d'opéra prisées sont notamment le Chang'an

Grand Theater (7 Jianguomenwai Dajie) et le Grand View Garden Theater (12 Nancaiyun Jie). Le prix des places varie suivant l'emplacement et les options repas ou en-cas, allant de 20 yuan à plus de 200 yuan pour les meilleurs sièges et les meilleurs repas.

Les acrobates font partie de la plupart des spectacles d'opéra, mais cette tradition chinoise qui remonte à plus de 2000 ans a produit ses propres artistes et spectacles. Quelques-unes des meilleures troupes d'acrobates sont basées à Pékin. Lorsqu'elle n'est pas en tournée à l'étranger, la troupe acrobatique de Pékin se présente au Théâtre Wansheng (95 Tianqiao Market). La troupe acrobatique du Sichuan joue souvent au Théâtre Chaoyang. Le spectacle le plus onéreux est présenté au théâtre international Poly Plaza (14 Dongzhimen Nan Dajie), où les vélos à une seule roue, les tourneurs d'assiettes et les empileurs de chaises présentent un spectacle dans le style de Las Vegas.

L'opéra traditionnel de Chine apporte la preuve que les héros et les méchants parlent partout la même langue.

Les maisons de thé

Si vous souhaitez goûter des échantillons de spectacles traditionnels chinois dans le cadre d'un banquet impérial, essayez
l'une des maisons de thé spécialisées de Pékin. Au cours de ces
intimes dîners-spectacles, dans un cadre digne de la dynastie
Qing (décoration de bois sculpté, lanternes en papier et colonnes
rouges), les clients se font servir des en-cas ou des repas com-
plets pendant que divers spectacles leur sont présentés.

Les deux plus grandes maisons de thé-spectacles de la capitale sont les maisons de thé Lao She (3 Qianmenxi Dajie), où
l'on donne divers spectacles tous les soirs et où l'on sert une
variété d'en-cas et Tian Qiao (113 Tianqiao Market), où l'on
peut s'asseoir au balcon et où le personnel est vêtu de costumes
Qing. La maison de thé Tian Hai (Sanlitun Lu) propose, les
samedi et vendredi soirs, un spectacle plus intime et la Beijing
Teahouse (8 Changdian, sur la rue de la culture Liulichang)
reçoit des conteurs chinois tous les après-midi.

La vie nocturne

Le quartier de Sanlitun regroupe l'ensemble des concerts de
musique moderne et accueille les expatriés et les visiteurs
étrangers à la recherche d'un bar confortable et d'un café international ouvert tard. Ces lieux sont également fréquentés par les
Chinois de Pékin qui viennent écouter du rock ou du jazz. Les
prix des consommations (notamment des vins, alcools et bières
importés) sont assez élevés pour Pékin, à peu près équivalents
aux prix pratiqués en Occident. Vous trouverez à Sanlitun Lu
plusieurs dizaines de cafés et de bars, rassemblés sur quelques
pâtés de maisons; certains d'entre eux ne ferment jamais.

Parmi les bars occidentaux les plus populaires de Pékin, notez
Frank's Place (à l'est du Stade des Ouvriers chinois), un bar américain fondé par un Américain en 1990; John Bull Pub (44

Guanghua Lu), un pub de style très anglais où l'on joue aux fléchettes et qui propose un menu anglais; et Henry J. Bean's (1 Jianguomenwai Dajie), un bar et grill où l'on peut voir des groupes de rock et danser. Vous pouvez écouter des groupes chinois de rock et de musique pop dans le quartier de Sanlitun au Hidden Tree (12 Dongdaqiao Xie Jie) ou en face de l'hôtel Kempinski au Keep In Touch (Jiuxianqiao Dong Lu). Pékin compte également plusieurs «bars de sports», notamment le Grandstand dans l'hôtel Holiday Inn Lido, le Pit Stop dans l'hôtel Harbour Plaza, et l'immense Sports City Café dans l'hôtel Gloria Plaza.

Si vous souhaitez écouter du jazz, les meilleurs clubs sont le CD Cate Jazz Club (troisième route circulaire-est) le week-end, et le Sanwei Bookstore (60 Fuxingmenwai Dajie) le vendredi soir. Le club de jazz le plus réputé de Pékin qui invite souvent des artistes de réputation internationale est l'Aria, un bar et grill haut de gamme, situé dans l'hôtel China World (1 Jianguomenwai Dajie).

Les amateurs de musique disco (qui n'est pas passée de mode à Pékin) ont élu le Hot Spot (au sud de l'hôtel Jiangguang New World) comme la discothèque la plus animée de la ville : on peut voir des spectacles sur scène et des danseurs encagés qui se démènent jusqu'à 2h du matin. Parmi les autres discothèques populaires, notez la NASA (2

Si vous êtes un oiseau de nuit, Pékin ne vous décevra pas. Vous trouverez un bon choix de bars et de clubs.

Xitucheng Lu, district de Haidian), au décor militaire, et le Poachers Inn the Park (Parc Tuanjiehu), assorti d'un pub anglais et d'une piste de danse en pierre. La boîte de nuit qui reste ouverte la plus tard est située dans le Hard Rock Cafe de Pékin (8 Dongsanhuan Bei Lu), le premier de Chine, où le personnel chinois sert des hamburgers, des frites et de la bière, accompagnés de musique en direct (et forte).

LES SPORTS ET LES LOISIRS

Même si l'on ne vient pas principalement à Pékin pour faire du sport, il faut savoir que Pékin offre plusieurs possibilités. La plupart des hôtels internationaux sont équipés de clubs de sports, saunas, piscines et autres facilités, y compris des courts de tennis, et proposent des tarifs à la journée pour les non-résidents. Les parcs de la ville invitent particulièrement au jogging, à l'exercice, au *tai chi,* à la marche et autres activités matinales. Le golf, le bowling et le billiard comptent parmi les loisirs les plus prisés.

Vous aurez également la possibilité de faire du saut à l'elastique (à la Shidu Bungee Jumping Facility dans le district de Fangshan), du *paintball* (à Color Me Purple dans le parc Wanfangting), de la varappe (au club de varappe de Qidagudu dans le district de Xuanwu), de l'équitation (adressez-vous à l'hôtel Mövenpick), et du tir (au China North Shooting Range près de la Grande Muraille à Badaling, où l'on peut même louer des mitraillettes).

Le golf. Le plus beau parcours de Pékin est le Beijing International Golf Club, situé près des Tombeaux des Ming. Le Beijing Grand Canal Golf Club, à l'est de Beijing, offre la possibilité de golfer de nuit. Près de l'aéroport, le Beijing Country Golf Club propose 36 trous. Le parcours de golf de championnat le plus récent, dessiné par Graham Marsh, est le Huatang International Golf. Le parcours le plus proche de la ville est le Chaoyang Golf Club, un parcours de 9 trous assorti d'un drive. Ces parcours sont ouverts au public (réservez par l'intermédiaire de votre hôtel). Ils louent des clubs et fournissent des caddies. Les frais commencent à environ 1000 yuan.

Le bowling. Les pistes modernes de bowling se sont multi-pliées dans les années 1990, avec de nouvelles pistes à l'Holiday Inn Lido, au Beijing International et dans d'autres hôtels. Le bowling situé dans le sous-sol de l'hôtel China World propose un tarif réduit durant la journée.

Le patin à glace. Le parc Beihai et le Palais d'été offrent chacun de magnifiques patinoires extérieures en hiver; vous pouvez louer des patins dans des stands installés sur les rives. La Ditan Ice Arena est une patinoire couverte située au sous-sol du centre commercial reliant les hôtels Trader et China World (1 Jianguomenwai Dajie).

Les spectacles sportifs. Les deux équipes professionnelles de Pékin, les Canards de Pékin (basket-ball) et les Gardiens nationaux (football), jouent en saison au Stade des Ouvriers de Pékin, au nord-est de la ville. Toutes deux ont de nombreux sup-porters dans tout le pays.

POUR LES ENFANTS

Pékin compte des dizaines de sites pour les enfants qui peuvent dans l'ensemble être visités en famille. Le Zoo de Pékin (voir page 63), avec ses pandas et ses tigres, est depuis longtemps un site favori. Il est désormais assorti du tout nouveau et moderne Aquarium de Pékin. A la porte sud du Stade des Ouvriers de Pékin, il y a également l'Aquarium bleu, avec ses 100 m de tun-nels sous-marins. Parmi les parcs aquatiques équipés de tobogans et de piscines, on notera le Yuyuantan Water World (dans le parc Yuyuantan, sur la quatrième route circulaire-est). Le plus grand de Pékin est le rivage reconstitué de Tuanjiehu (dans le parc Tuanjiehu, sur la troisième route circulaire-est), agrémenté d'une plage artificielle de sable blanc et d'une piscine découverte.

Les parcs d'attractions et les parcs à thème prolifèrent. Le parc d'amusement de Pékin (du côté ouest de parc du pac Longtan) est

Calendrier des événements

Janvier-février. Le Nouvel an lunaire, également appelé «Festival de printemps», est la plus grande fête chinoise. Elle commence le premier jour du calendrier lunaire (2 février 2000, 24 janvier 2001, 12 février 2002, 1er février 2003, 22 janvier 2004). Le premier de ces trois jours, les bureaux, les banques et de nombreux magasins de la capitale sont fermés. On s'offre des cadeaux, paie ses dettes de l'année, rend visite à sa famille et à son village natal. On s'invite les uns les autres à partager de grands repas. Les parcs, les temples et les marchés organisent des festivités dans toute la ville. Une exposition de sculptures de glace se tient dans le parc Longqingxia. Pour de nombreuses personnes ces festivités s'étalent sur 15 jours.

Février. La Fête des Lanternes tombe exactement 15 jours après le premier jour de l'année lunaire, le jour de la première pleine lune. Les parcs et les temples exposent des lanternes de papier décoratives et ponctuent leurs célébrations de feux d'artifice et de danses éthniques.

Avril–mai. L'anniversaire de la déesse bouddhiste du pardon, connue en Chine sous le nom de Guanyin, est célébré par des fêtes animées dans les temples. Les célébrations se déroulent le 19e jour du deuxième mois lunaire, environ 50 jours après le nouvel an lunaire. Avril est également le mois de la Fête de Qing Ming, que l'on appelle le «Jour du balayage des Tombes», lorsque les familles se rendent sur les tombes de leurs ancêtres pour y faire des offrandes de nourriture, de vin et de «monnaie d'esprit», que l'on brûle pour qu'elle puisse être utilisée dans l'autre vie.

Juin–juillet. La Fête du Bateau Dragon a lieu le 5e jour du cinquième mois lunaire, au début de l'été. Des courses de